王佐良 著

英诗的境界

生活·讀書·新知 三联书店

写
在
前
面

　　《英诗的境界》是我国著名的诗人、翻译家、教授、英国文学研究专家王佐良(1916—1995)先生的一本小书。王佐良与卞之琳、冯至、穆旦、袁可嘉等同属二十世纪三四十年代的西南联大师生群，接受了现代诗歌洗礼。他 1939 年毕业于西南联合大学外语系(原清华大学外语系)，留校任教，1947 年赴英国牛津大学攻读英国文学研究生。 1949 年回国后，历任北京外国语学院教授、英语系主任、副院长，从事文化交流和文学研究工作，不仅在翻译方面，而且在评价和介绍外国诗歌方面不遗余力，对新中国的英语教学和英文翻译做出很大贡献。

　　80 年代末，王佐良开始参与主持编写五卷本的英国文学史，同时发愿要为中国学生和诗歌爱好者写一部英国诗史，日后陆续出版有《英国 20 世纪文学史》、《英国散文的流变》、《英国浪漫主义诗歌史》、《英国诗史》等多部专著，皆是内容充实、语言通畅、传布甚广的佳作。王佐良一直强调，撰写文学史，离不开对经典作家、作品的选择和介绍，与其枯燥乏味地陈述事实、理论，不如让读者更多地面对原作，增加直接体验的机会。但也不能忽视了赏析和点评，只有甄别习见，贴近文本，才能真正恰切、精到地使人明了这些文学作品的价值所在。因此，在研究写作的过程中，他把自己放在一个普通诗歌爱好者的位置上，又重读了不少英诗，写了大量笔记，从单篇欣赏到整个诗人的评论都有，不求全面，长短也无定规，旨在传达会有心得的韵味。这些专著之余的笔记素材稍事整理后，连载在 1987 年的《读书》杂志"读诗随笔"专栏，刊出之后，因其灵巧而言之有物，颇受读者喜爱。

《英诗的境界》正是在此十余则专栏文章的基础上重新编订而成。书中收录三十一篇作者谈论英国诗人、作品的散文，所涉范围很广，从中古民谣到 17 世纪的弥尔顿、蒲柏，从浪漫主义的布莱克、华兹华斯、拜伦、雪莱、济慈到世纪之交的哈代、叶芝，也包括艾略特、奥登等典型的运用现代派手法写作的作家，但全书并非教科书般面面俱到，例如乔叟、莎士比亚等大家并未涉及，因为作者的本意并非要撰写一部系统的学术著作，而是希望能以写意和点睛的笔法来传达诗意，有话即长，无话即短，尽量避免学院或文学家圈子里的名词、术语，却也不怕暴露自己的偏爱、激情，把读者当作一个知心朋友，希望读者能有耐心倾听他常年浸泡在英语诗歌世界中所收获的心得。

1991 年本书收入由三联书店推出的"读书文丛"，1998 年又收入"三联精选"第一辑。此次收入"中学图书馆文库"，希望它继续成为读者朋友了解英语文学的一扇窗口，透过它，可以提升英文素养，领略诗艺魅力，窥见诗歌语言所呈现的丰富的情感和精神世界。

生活·讀書·新知 三联书店编辑部

2012 年 3 月

目　录

序

　　所谓境界，是指作品所展示的情感和精神世界。英国诗所达到的境界，在这个集子所谈到的作品里是有多种表现的，但并非全貌。有不少重要诗人——例如乔叟、莎士比亚、特莱顿、彭斯和当代的泰特·休斯、东尼·哈里逊等——没有包括在内，包括了的也未必涉及其最重要的作品，这是因为本书并非系统的学术著作，而是若干则读诗随笔，每则也只谈一二点笔者确有所感的，不求全面，写法也是看人看诗而有不同。

　　但在随笔这一体裁所允许的范围内，我也进行了一点试验。

　　其一是，看看能否通过译诗来讨论诗艺。通过译诗来讨论内容是比较容易的，但是诗之所以为诗，却在于它还有诗艺。

人们常说诗不能译，主要是指诗艺难于通过译文再现。这里试验的结果是：好的译诗多少可以传达一点诗艺，或传达诗艺中的某些部分，例如结构、句法、形象、某些(不是全部)音韵效果、某类气氛。有些东西在翻译过程里是会失落的，但这不限于译诗，译散文或任何体裁的文章也都会有所失落。说译诗难是不错的，但如进而说诗根本不可译则等于否定了一切翻译。

自然，这里的译诗——例如我自己的不少试译——未必都做到了上面所说，但是我所选用的师友们的译作却常能做到，这也是令我感到鼓舞的。

无论如何，通过分析译诗，既可以谈内容，也可以谈诗艺，谈的方面和程度取决于译诗的质量和分析的精粗。

其二是，看看能否把诗艺同思想内容结合起来谈。现代文学批评的一个重大进展就是能把二者融而为一。为了叙述方便，当然可以分开来谈。但是到了紧要关头，二者实不可分。一个思想、一样感情可以有多种表达法，但只有一种是最精确、最恰到好处的。形式是内容或意义的一个构成部分，而在文学作品中，一切出之于语言，因此不通过具体语言来分析作品，很难抓住真正的、从表面到深层的意义。同时，又不能只就语言谈语言，还得看看语言背后的社会环境和心智气候。换言之，谈的是语言、技巧的小节，要具体，要深入，但又必须看到它们后面的大块文化或整个思想潮流。这事不易做，但值得一做。

此外，我也注意写法。既是随笔，就该努力写得放松、亲切一些，开门见山，有话即长，无话即短，尽量避免学院或文学家圈子里的名词、术语，却不怕暴露自己的偏爱、激情，把读者当作一个知心朋友，希望他能有耐心倾听我的小小的心得，如果他能因此而进一步阅读原著，那就更是我的希望了。

王佐良

一九八七年十二月

中古民谣

中国自古有民谣，西方也一样。民谣早在口头流传，写下来则是后来的事，但即使有了文本，也是满纸古朴之气。然而另一方面，它们又至今显得新鲜。它们的艺术最简单，但又最顶事，经历了几百年上千年的考验而更加精练，寥寥数笔，立时须眉毕现。故事性强，戏剧性强，音乐性也强，常有叠句和重复结构，因此也便于记忆和朗诵。

这里试译苏格兰民谣两首，一首讲海上航行遇险故事，既表现水手们的英雄气概和宿命论，也表现国王的自私和残忍。这首民谣有几种本子，我译的是较短的一种。第二首通过乌鸦的眼睛看苏格兰社会，爵士被杀（可能死于决斗）之后妻走家散，只剩他的白骨暴露野地，任风吹荡，形象鲜明，寓意也深远。简洁是两首民谣共同的特点，故事的意义不是靠作者点明，而是让读者根据情节去自己体会的。

派屈克·司本斯爵士

国王坐在邓弗林城里，

　　喝着血红的酒。

　　"啊，哪儿能找到一位能人

　　来把我的船儿开走？"

一位老爵士坐在国王右首，

　　他站起来向国王回话：

　　"派屈克·司本斯是一把好手

　　航海比谁都不差。"

国王下了一道圣旨，

　　亲手签了他的御名，

派人送给派屈克爵士，

　　他正散步在海滨。

派屈克爵士读了第一行，

　　他张嘴大笑哈哈，

派屈克爵士读了第二行，

　　泪水从他的双眼流下。

"啊，谁人干了好事，

　　要我担负这倒霉的差使，

在一年里这个季节，

　　要我出海行驶！"

"快点，快点，我的伙伴们，

　　咱们明早就出海。"

"啊，可不能呀，好船长，

　　我怕有大风暴到来。"

"昨夜我看见新的月亮

　　一手抱住了老的月亮，

我怕，我怕，好船长，

　　我们会碰上灾殃。"

啊，苏格兰的汉子们做得对，

　　不肯让海水打湿他们的鞋跟。

可是好戏还没演到一半，

　　他们的帽子就在水面浮动。

啊，他们的夫人坐门前，

　　手拿扇子苦苦等，

等不到派屈克·司本斯爵士

　　驾船靠岸回家门。

啊，他们的夫人立门前，

　　发插金钗表欢迎，

迎不来她们的丈夫，

　　心上人永无踪影。

去阿勃丁的半路上，半路上，

　　海水深达五十丈，

派屈克爵士就躺在那里，

　　他脚下尽是苏格兰的儿郎。

SIR PATRICK SPENS

The king sits in Dumferling toune,

    Drinking the blude-reid wine:

"O whar will I get guid sailor,

    To sail this schip of mine?"

Up and spak an eldern knicht,

    Sat at the king's richt kne:

"Sir Patrick Spence is the best sailor,

    That sails upon the se."

The king has written a braid letter,

    And signd it wi his hand,

And sent it to Sir Patrick Spence,

    Was walking on the sand.

The first line that Sir Patrick red,

    A loud lauch lauched he;

The next line that Sir Patrick red,

The teir blinded his ee.

"O wha is this has don this deid,
　This ill deid don to me,
To send me out this time o'the yeir,
　To sail upon the se!

"Mak hast, mak haste, my mirry men all,
Our guid schip sails the morne":
"O say na sae, my master deir,
　For I feir a deadlie storme.

"Late, late yestreen I saw the new moone,
　Wi the auld moone in hir arme,
And I feir, I feir, my deir master,
　That we will cum to harme."

O our Scots nobles wer richt laith
　To weet their cork-heild schoone;
Bot lang owrea' the play wer playd,
　Thair hats they swam aboone.

O lang,lang may their ladies sit,

Wi thair fans into their hand,

Or eir they se Sir Patrick Spence

Cum sailing to the land.

O lang,lang may the ladies stand,

Wi thair gold kems in their hair,

Waiting for thair ain deir lords,

For they'll se thame na mair.

Haf owre,haf owre to Aberdour,

It's fiftie fadom deip,

And thair lies guid Sir Patrick Spence,

Wi the Scots lords at his feit.

两只乌鸦

我在路上独自行走,

听见两只乌鸦对谈,

一只对另一只问道:

"今天我们去哪儿吃饭?"

"在那土堆后面，

躺着一个刚被杀的爵士，

无人知道他在那里，

除了他的鹰、狗和美丽的妻子。

"他的狗已去打猎，

他的鹰在捕捉山禽，

他的妻子跟了别人，

所以我俩可以吃个开心。

"你可以啃他的颈骨，

我会啄他好看的蓝眼珠，

还可以用他金黄的发丝

编织成我们巢上的挡风布。

"多少人在哭他，

却不知他去了何方，

不久他只剩下白骨，

任风永远吹荡。"

THE TWA CORBIES

As I was walking all alane,
I heard twa corbies making a mane;
The tane unto the t'other say,
"Where sall we gang and dine today?"

"In behint yon auld fail dyke,
I wot there lies a new slain knight;
And naebody kens that he lies there,
But his hawk, his hound, and lady fair.

"His hound is to the hunting gane,
His hawk to fetch the wild-fowl hame,
His lady's ta'en another mate,
So we may mak our dinner sweet.

"Ye'll sit on his white hause-bane,
And I'll pike out his bonny blue een;

10

Wi ae lock o his gowden hair
We'll theek our nest when it grows bare.

"Mony a one for him makes mane,
But nane sall ken where he is gane;
Oer his white banes, when they are bare,
The wind sall blaw for evermair."

斯宾塞（一五五二——一五九九）

斯宾塞，十六世纪诗人，站在近代英诗发展的起点，诗艺精湛，被认为全部英国诗史上最重要的六七个诗人之一。

他的主要作品是长诗《仙后》（一五九六），仅完成计划中的六卷，然已卷帙丰富，内容之一是对颇有作为的伊丽莎白女王的歌颂，表现了民族主义的自豪。今天读者更喜欢的则是他的一些次要作品，如两首结婚曲和以《爱情小唱》为总题的十四行诗集。

他的诗内容丰富，形式完整，在诗律上多所创造，如建立了优美流畅的"斯宾塞体"（即九行体），影响深远，后世拜伦、雪莱、济慈、丁尼生等人都曾用它写出佳作，因此人们称斯宾塞为"诗人的诗人"。

斯宾塞的十四行诗集《爱情小唱》出版于一五九五年。当时英国诗人中写十四行诗的很多，莎士比亚就是一个，这种诗体成为一时风气，其中斯宾塞所作自有特色。十四行诗体原是从意大利传入英国的，斯宾塞运用其形式而调整了它的脚韵安排，把意大利式的 abba abba adecde 改为 abab bcbc cdcd ee，人称斯宾塞式。

内容方面，当时的十四行诗多半是表白爱情的，斯宾塞的也不例外，但他写得多样化，还注入了当时的一些新思想，如心灵之美更胜外貌（见第十五首）、美人能因有诗人歌颂而不朽（第七十五首）等，又如从人生如舞台这一感想展开而责备无真挚感情的女人（第五十四首），以及通过对话的运用（第七十五首），将民谣体渗入了十四行诗，都可看出他在艺术上的匠心。

我国不少读者熟悉莎士比亚的十四行诗，现在再来看看斯宾塞所作，就会知道莎士比亚并不是这类诗的唯一能手。他所表达的某些思想，如文学不朽（因而被文学家所歌颂的美貌、爱情、品德、声誉也不朽）是英国文艺复兴时期的流行思想，而在表达的技巧方面（如韵律上的讲究、句式上的繁复多姿）他还有不及斯宾塞的地方。这就从另一个角度证明了斯宾塞的重要性。

爱情小唱

第十五首

做买卖的商人！你们辛苦经营，

为了谋利寻找最贵重的东西，

两个印度①的宝物都被你们搜尽，

其实何必徒劳地走遍大地？

瞧吧，全世界的一切珍奇，

都包含在我的爱人身上：

要蓝宝石，她的眼睛蓝得彻底，

要红宝石，她的嘴唇红艳无双，

要珍珠，她的牙齿更白更亮，

要象牙，她的额头就是绝好的象牙，

要金子，她的头发闪着最纯的金光，

要银子，她的白手如银而更素雅，

---

① 东印度和西印度，故曰两个。

但是最美的却无人知道：

她的心，那里有千种美德闪耀。

15

Ye tradefull merchants, that with weary toyle

Do seeke most pretious things to make your gain,

And both the Indias of theilr treasures spoile,

What needeth you to seeke so farre in vaine?

For loe my love doth in her selfe containe

All this worlds riches that may farre be found.

If saphyres, loe her eyes be saphyres plaine;

If rubies, loe her lips be rubies sound;

If pearls, her teeth be pearls both pure and round;

If yvorie, her forhead yvory weene;

If gold, her locks are finest gold on ground;

If silver, her fair hands are silver sheene.

But that which fairest is, but few behold：

Her mind, adornd with vertues manifold.

第五十四首

我们演出在这世界的舞台，

我的爱人悠闲地看着戏，

她观赏我演出各种题材，

用不同形式排遣我不安的心意，

一时的兴会令我欢喜，

于是我戴上了喜剧的假面；

一时我转欢笑为唏嘘，

于是我又把悲剧扮演。

她却用不变的眼睛看我幻变，

不因我喜而喜，不因我悲而悲；

我笑她讥讽，等我泪流满脸，

她却大笑而心如冰块。

什么能感动她？哭笑都不是，

那么她非女人，而是顽石。

54

Of this worlds theatre in which we stay,

My love like the spectator ydly sits

Beholding me that all the pageants play,

Disguysing diversly my troubled wits.

Sometimes I joy when glad occasion fits,

And mask in myrth lyke to a comedy:

Soone after when my joy to sorrow flits,

I waile and make my woes a tragedy.

Yet she, beholding me with constant eye,

Delights not in my merth nor rues my smart:

But when I laugh she mocks, and when I cry

She laughs and hardens evermore her heart.

What then can move her? If nor merth nor mone,

She is no woman, but a sencelesse stone.

第七十首

新春乃爱情君王的喝道人，

他的纹章上绣满了花，

大地在这个时节才苏生，

各色的鲜花开成一片云霞。

去吧，去到我爱人的家，

她还懒懒地躺床冬眠，

告诉她欢乐的时间不会停下，

要抓住辰光赶紧向前，

嘱咐她立刻梳头洗脸，

列身在姑娘队里把爱情迎候，

不论谁只要错过她的所恋，

就要把应得的惩罚承受。

所以趁早吧，亲爱的，春光正好，

消失了就再也不能找到。

70

Fresh spring the herald of loves mighty king,

In whose cote armour richly are displayd

All sorts of flowers the which on earth do spring

In goodly colours gloriously arrayd.

Goe to my love, where she is carelesse layd,

Yet in her winters bowre not well awake:

Tell her the joyous time wil not be staid

Unlesse she doe him by the forelock take.

Bid her therefore her selfe soone ready make,

To wayt on love amongst his lovely crew:

Where every one that misseth then her make,

Shall be by him amearest with penance dew.

Make hast therefore sweet love, whilest it is prime,

For none can call againe the passed time.

第七十五首

有一天我把她的名字写在沙滩上，

大浪冲来就把它洗掉。

我把她的名字再一次写上，

潮水又使我的辛苦成为徒劳。

"妄想者，"她说，"何必空把心操，

想叫一个必朽的人变成不朽！

我知道我将腐烂如秋草，

我的名字也将化为乌有。"

"不会，"我说，"让卑劣者费尽计谋

而仍归一死，你却会声名长存，

因为我的诗笔会使你的品德永留，

还会在天上书写你的芳名。

死亡虽能把全世界征服，

我们的爱情却会使生命不枯。"

75

One day I wrote her name upon the strand,

But came the waves and washed it away:

Agayne I wrote it with a second hand,

But came the tyde, and made my paynes his pray.

"Vayne man," sayd she, "that doest in vaine assay,

A mortall thing so to immortalize,

For my selve shall lyke to this decay,

And eek my name bee wyped out lykewize."

"Not so," quod I, "let baser things devize,

To dy in dust, but you shall live by fame:

My verse your vertues rare shall eternize,

And in the heavens wryte your glorious name.

Where whenas death shall all the world subdew.

Our love shall live, and later life renew."

弥尔顿（一六〇八——一六七四）

　　刚强、坚毅、悲愤的弥尔顿之外，还有一个甜蜜的弥尔顿。《失乐园》是庄严的史诗，但也包含了许多抒情段落，例如夏娃对亚当的一次谈话：

　　　　同你谈着话，我全忘了时间。

　　　　时间和时间的改变，一样叫我喜欢。

　　　　早晨的空气好甜，刚升的晨光好甜，

　　　　最初的鸟歌多好听！太阳带来愉快，

　　　　当它刚在这可爱的大地上洒下金光，

　　　　照亮了草、树、果子、花朵，

　　　　只见一片露水晶莹！潇潇细雨过后，

丰饶的大地喷着香气；甜蜜的薄昏

带着谢意来临，接着安静的夜晚

降下，这里鸟在低唱，那里月光似水，

天上闪着宝石，全是伴月的星星。

但是早晨的空气也好，鸟的欢歌

也好，可爱的大地上刚升的太阳

也好，带露的草、果、花朵也好，

雨后大地的芳香也好，温柔的黄昏

也好，安静的夜晚和低唱的鸟，

游行的月亮和闪亮的星光也好，

没有你，什么也不甜蜜。

With thee conversing, I forget all time,

All seasons, and their change, all please alike.

Sweet is the breath of morn, her rising sweet,

With charm of earliest birds; pleasant the sun,

When first on this delightful land he spreads

His orient beams, on herb, tree, fruit, and flower,

Glistering with dew; fragrant the fertile earth

After soft showers; and sweet the coming on

Of grateful evening mild, then silent night

With this her solemn bird, and this fair moon

And these the gems of heaven, her starry train:

But neither breath of morn, when she ascends

With charm of earliest birds, nor rising sun

On this delightful land, nor herb, fruit, flower,

Glistering with dew, nor fragrance after showers,

Nor grateful evening mild, nor silent night

With this her solemn bird, nor walk by moon

Or glittering starlight, without thee is sweet.

生的欢乐，夫妻之间的爱情，夏娃的天真和温柔，不能写得更动人了。然而这段诗又是高度艺术的制成品。请看这后七行浑成一整个长句，意思要到最后才完全，于是"甜蜜"一词由于它的位置而取得了非凡的强调力量。这满足了——也安慰了——我们读者的期望，同时又使我们感到有点惊讶。在这安慰与惊讶之间，意思更清楚了，又产生了不绝的余音。

《失乐园》的许多长处之一，是它有变化。主要的体裁是史诗，然而纳进了许多其他体裁：抒情诗，故事中的故事，自传式的回忆，等等，这是一种丰富，也是一种变化。它的人物也有变化，一开始主角是撒旦，慢慢变成了亚当和夏娃，撒旦从有英雄气概的魔王变成了搞小动作的卑鄙的复仇者，而亚当、夏娃也经历了智慧和情感上的成长。在这种体裁和人物的变化中，弥尔顿的语言也随着变化。他不止善于鸣响黄钟大吕之音，他也擅长低吟、小唱、真情的吐露、绝望中的悲喊，等等。上引夏娃之言就是她向丈夫诉衷情，所以听起来也就特别优美、甜蜜。

弥尔顿把她写得温存，但又毫不轻浮。他的艺术是古典主义的艺术，讲文雅、平衡、自我节制，而在这一切之中求变化，表个性。试看这段引诗中的风景描写，都是用的带普遍性的一类词汇：草、树、果子、花朵、鸟之类，而不是特殊的某种树，某种花，什么鸟，什么果子（像后世现实主义小说家所会要求的那样）。要写辽远而新鲜的伊甸园，就得用这类普遍词汇，而不能出现橡树、忍冬、苍头燕雀之类，不能把它写成一个英国式公园，那样会把伊甸园地方化了，缩小了它的意义（同样地，但丁在描写天堂的时候，也是用的普遍性的、冲淡了或放大了的词汇）。

　　要运用这类词汇而又吸引读者，却是一件十分不易的事。弄得不好，就变得平淡，一般化，或大而无当。靠什么来取得成功呢？ 简单说，一靠构思，二靠音韵，三靠把恰当的词放在恰当的位置。 这第三点就是处理好句子的结构、排列以及进而组成段落的本领。 弥尔顿不仅是运词的能手，音韵的大师，也是结构的巧匠，因而才有上面所提到的后七行的"圆周式"结构，即到七行之末，圆周才完成，真意才郑重托出。他之所以要在《失乐园》中运用白体无韵诗，他之所以要创造连贯若干行、一泻到底的长诗段，就是为了要在结构上更伸缩自如，更适宜于表达大片感情，在节奏上避免单调而趋向众调合鸣，从而使他的诗艺更胜任于表达他那伟大而丰富的主题。

蒲　柏 (一六八八——一七四四)

先译一段诗:

整个自然都是艺术,不过你不领悟;

一切偶然都是规定,只是你没看清;

一切不协,是你不理解的和谐;

一切局部的祸,乃是全体的福。

高傲可鄙,只因它不近情理。

凡存在都合理,这就是清楚的道理。

All Nature is but Art, unknown to thee;

All Chance, Direction, which thou canst not see;

All Discord, Harmony, not understood;

All partial Evil, universal Good;

And, spite of pride, in erring Reason's spite,

One truth is clear, Whatever is, is right.

——*Essay on Man*, I, 289 - 294

口气多么自信，近乎武断，对读者是在进行说教，这样的诗是容易引起反感的。然而不！我们感到的是一种愉快，因为诗人写得真是干净利落，整齐中有各种变化，每行分成两半，然而断处不一，音韵上有呼应又有对比，这就既有严格格式又避免了单调、机械。这也是最宜于推出警句的形式，特别是那种包含矛盾两面的警句——"一切局部的祸，乃是全体的福"——这段诗是由一系列警句组成的，全段实乃一大警句。而这些警句是包含了一个大道理的，即十八世纪的理性主义。蒲柏所传达的自信实际上是那如日方升的理性主义的自信。在这里，不仅形式同内容是一致的，而且新古典主义的诗艺同启蒙时期的思想结合起来了。

安德鲁·马伏尔（一六二一————一六七八）

马伏尔是政治上的活跃人物，做过弥尔顿在革命政府里任拉丁书记时的助手，写诗歌颂过克伦威尔，然而王政复辟后却未受追捕，反而当了议员，他也不改本色，替弥尔顿辩护，对朝政讥刺，锋芒及于国王查理二世本人。

他写诗不多，但有少数作品至今传诵，特别是《致他的娇羞的女友》与《花园》两首。

《致他的娇羞的女友》是情诗，然而又写得如何不同寻常！为了表示爱情的长久，把《圣经》里的洪水、辽远的印度、历史上的大帝国等等都扯了进来，对爱人的身体的赞美也是愿意"用一百个年头来……凝视你的娥眉，用二百年来膜拜你的酥胸"，而用了这无限扩大的"气派"，却只为点出青春在飞快消逝，而一旦逝去，则前面只有"一片永恒的沙漠"。因此劝姑娘去掉贞女的矜持，而要全力投入恋爱——不是慢吞吞地温文尔雅地爱，而要像"烈火"，像"食肉的猛禽"，"把时间立刻吞掉"，"通过粗暴的厮打把我们的欢乐/从生活的两扇铁门中间扯过"。如果说，这诗的前半写得有点俏皮，到了后半则是完全认真的；前面是时间、空间的大扩张，后面则是突然缩小到火热的情欲一点上。所谓"玄学派"，实际上是最入世的。多恩如此，马伏尔也如此。

《花园》一诗属于牧歌（Pastoral）类，写的是理想世界。诗人感到在人世追逐荣名实在不如隐居花园，后来凭想象进入了一个无忧的伊甸园。但是中间经过若干层次，一层比一层更纯净，更自在，直到超脱凡尘，而他的伊甸园又不同于《圣经》上的伊甸园，其中并无夏娃出现，也就没有"原罪"的威胁。然而诗人又知道希冀"超出凡人的部分，是妄想"，所以最后一节又回到一种中层境界，安于"用碧草与鲜花来计算"时间的人世的普通花园。

诗人拿来与尘世的五颜六色相对比的是绿色，这是他的主要象征，一则云"不论是白的，还是红的，看来/总不及这可爱的绿色那么昵爱"，再则云：

Annihilating all that's made

To a green Thought in a green Shade.

把一切凡是造出来的，都化为虚妄，

变成绿荫中的一个绿色的思想。

（杨周翰译文）

这可能是马伏尔全部诗作里最有名的两行，也是历代学者和批评家绞尽脑汁力图阐明的两行。比较可取的解释是两种：1. 把全部物质世界化为非物质的；2. 与绿色思想相比，物质世界毫无价值。不论如何解释，这两行体现了作者在艺术上的精心，上行用了 annihilate（消灭）这个厉害的词，下行又重复 green（绿）两次，而且两行出现在全节之末，更使这两行突出地受到注意，此外用 green Shade 之实来调剂 green Thought 之虚，也使我们看清富于形象的诗怎样大异于长于逻辑思维的哲理文章。

玄学派诗之难能可贵处正在以哲理入诗，而诗不仅不减本色，反而更加动人。

下面是上述两诗中一首的译文，译者是杨周翰同志：

致他的娇羞的女友

我们如有足够的天地和时间，

你这娇羞，小姐，就算不得什么罪愆。

我们可以坐下来，考虑向哪方

去散步，消磨这漫长的恋爱时光。

你可以在印度的恒河岸边

寻找红宝石，我可以在亨柏之畔①

望潮哀叹。我可以在洪水②

未到之前十年，爱上了你，

你也可以拒绝，如果你高兴，

直到犹太人皈依基督正宗。③

我的植物般的爱情可以发展，

发展得比那些帝国还寥廓，还缓慢。

我要用一百个年头来赞美

你的眼睛，凝视你的娥眉；

---

① 流经诗人家乡赫尔市的河。
② 指《旧约》里有关远古洪水的传说。
③ 根据基督教的偏见，犹太人要到世界末日才会改信基督教。

用二百年来膜拜你的酥胸，
其余部分要用三万个春冬。
每一部分至少要一个时代，
最后的时代才把你的心展开。
只有这样的气派，小姐，才配你，
我的爱的代价也不应比这还低。

但是在我背后我总听到
时间的战车插翅飞奔，逼近了；
而在那前方，在我们面前，却展现
一片永恒的沙漠，寥廓、无限。
在那里，再也找不到你的美，
在你的汉白玉的寝宫里再也不会
回荡着我的歌声；蛆虫们将要
染指于你长期保存的贞操，
你那古怪的荣誉将化作尘埃，
而我的情欲也将变成一堆灰。
坟墓固然是很隐蔽的去处，也很好，
但是我看谁也没在那儿拥抱。

因此啊,趁那青春的光彩还留驻

在你的玉肤,像那清晨的露珠,

趁你的灵魂从你全身的毛孔

还肯于喷吐热情,像烈火的汹涌,

让我们趁此可能的时机戏耍吧,

像一对食肉的猛禽一样嬉狎,

与其受时间慢吞吞地咀嚼而枯凋,

不如把我们的时间立刻吞掉。

让我们把我们全身的气力,把所有

我们的甜蜜的爱情揉成一球,

通过粗暴的厮打把我们的欢乐

从生活的两扇铁门中间扯过。

这样,我们虽不能使我们的太阳

停止不动,却能让它奔忙。

TO HIS COY MISTRESS

Had we but world enough, and time,

This coyness, Lady, were no crime,

We would sit down and think which way

To walk and pass our long love's day.

Thou by the Indian Ganges' side

Shouldst rubies find; I by the tide

Of Humber would complain. I would

Love you ten years before the Flood,

And you should, if you please, refuse

Till the conversion of the Jews.

My vegetable love should grow

Vaster than empires, and more slow;

An hundred years should go to praise

Thine eyes and on thy forehead gaze;

Two hundred to adore each breast,

But thirty thousand to the rest;

An age at least to every part,

And the last age should show your heart.

For, Lady, you deserve this state,

Nor would I love at lower rate.

But at my back I always hear
Time's wingèd chariot hurrying near;
And yonder all before us lie
Deserts of vast eternity.
Thy beauty shall no more be found,
Nor, in thy marble vault, shall sound
My echoing song; then worms shall try
That long preserved virginity,
And your quaint honour turn to dust,
And into ashes all my lust:
The grave's a fine and private place,
But none, I think, do there embrace.

Now therefore, while the youthful hue
Sits on thy skin like morning dew,
And while thy willing soul transpires
At every pore with instant fires,
Now let us sport us while we may,
And now, like amorous birds of prey,

Rather at once our time devour

Than languish in his slow-chapt power.

Let us roll all our strength and all

Our sweetness up into one ball,

And tear our pleasures with rough strife

Thorough the iron gates of life:

Thus, though we cannot make our sun

Stand still, yet we will make him run.

托马斯·格雷（一七一六——一七七一）

　　格雷的一生，大部分消磨在剑桥大学，曾任历史和近代语言教授，但未曾讲课，只潜心读书。他是一个"散淡的人"，曾谢绝桂冠诗人的封号。写诗少而精，其中《墓畔哀歌》最为著名，至今传诵。他的书信也被视为英国散文中的精品。

　　《哀歌》表达了对乡土的爱和对农民的同情，歌颂的是"淳朴"，有一种难以排遣的感伤情绪。当时英国产业革命正在开始，诗人已经感到它在破坏农村的宁静生活，造成大变，但又不明究竟，无可奈何。

　　《哀歌》的形式完整，结构谨严，词句都精雕细刻，值得仔细玩味。用了高雅的古典主义的艺术，所传达的却是浪漫主义感情（深刻的个人感受和浓厚的感伤情绪），这两者本来是矛盾的，然而格雷却把它们结合得完美，使这诗成为英语诗歌中最有吸引力又最耐读的名篇之一。

十八世纪英国古典主义诗歌的一个特点，是将抽象名词人格化——"雄心"、"豪华"、"荣誉"、"知识"、"贫寒"之类——在此诗也有不少例子。一个现代读者可能会觉得既空洞又做作。十八世纪末流之作，确实显得空洞、做作，但这一手法也有将具体事物扩大为普遍品质的用意，这正是古典主义者力图通过典型来表达"永恒真理"的一端。后来的诗人也有用这手法的，如十九世纪的拜伦，二十世纪的奥登。在格雷诗里，这一手法也是为他的典型化、普遍化的意图服务的，从效果来看还是好的。

然而格雷精心雕琢的诗歌语言，却为紧接而来的浪漫主义者所病。华兹华斯在《抒情谣曲集》第二版（一八〇〇）的序言里，就引格雷另一首诗的一节，来说明那种十八世纪的滥调套话妨碍了诗歌表达真实的感情。正在为一种新诗歌拓清道路的浪漫主义诗人领袖对刚过去的前代诗人立论苛刻是可以理解的，但他如不带成见地再读读《哀歌》，就会发现同一个格雷写下了这样的诗行：

　　　　世界上多少晶莹皎洁的珠宝

　　　　埋在幽暗而深不可测的海底；

　　　　世界上多少花吐艳而无人知晓，

　　　　把芳香白白地散发给荒凉的空气。

　　　　　　　　　　（卞之琳译文，原文见后引）

正是这位充满感伤情绪的古典主义者早在十八世纪中叶就传达
了后来华兹华斯、柯尔律治以及更后一点的济慈等人要大力宣
泄的浪漫情调的。

　　下面是诗人卞之琳译的本诗全文，连同细致的注释也是他
的：

墓畔哀歌①

　　　　晚钟响起来一阵阵给白昼报丧，

----

　　① 沿用郭沫若旧译名；原题为"哀歌，作于某乡村墓园"。原诗最初不署名，
于一七五一年印成小册子发行。一般认为开始写作于一七四二年，是年格雷失去
了他的挚友理查·威斯特，也有人相信作于一七四六年和一七五〇年之间。诗一
发表即受读者热烈欢迎，至今仍为任何英国诗选所必收的作品。原诗每行是谨严
的五音步抑扬格，这里照样译成每行五顿，保持每节原韵式 abab。

牛群在草原上迂回，吼声起落，
耕地人累了，回家走，脚步踉跄，
把整个世界留给了黄昏与我。

苍茫的景色逐渐从眼前消退，
一片肃穆的寂静盖遍了尘寰，
只听见嗡嗡的甲虫转圈子纷飞，
昏沉的铃声催眠着远处的羊栏。

只听见常春藤披裹的塔顶底下
一只阴郁的鸱枭向月亮诉苦，
怪人家无端走近它秘密的住家，
搅扰它这个悠久而僻静的领土。

峥嵘的榆树底下，扁柏的荫里，
草皮鼓起了许多零落的荒堆，
各自在洞窟里永远放下了身体，
小村里粗鄙的父老在那里安睡。

香气四溢的晨风轻松的呼召，

燕子从茅草棚子里吐出的呢喃，

公鸡的尖喇叭，使山鸣谷应的猎号

再不能唤醒他们在地下的长眠。①

在他们，熊熊的炉火不再会燃烧，

忙碌的管家妇不再会赶她的夜活；

孩子们不再会"牙牙"的报父亲来到，

为一个亲吻爬到他膝上去争夺。

往常是：他们一开镰就所向披靡，

顽梗的泥板让他们犁出了垄沟；

他们多么欢欣的赶牲口下地！

他们一猛砍，树木就一棵棵低头！

"雄心"别嘲讽他们实用的操劳，

---

① 此行按字面译是："再不能把他们从低矮的床铺上唤醒"，一说"低铺"既指穷人家矮铺，也指坟墓。

家常的欢乐、默默无闻的运命；
"豪华"也不用带着轻蔑的冷笑
来听讲穷人的又短又简的生平。

门第的炫耀，有权有势的煊赫，
凡是美和财富所能赋予的好处，
前头都等待着不可避免的时刻：
光荣的道路无非是引导到坟墓。

骄傲人，你也不要怪这些人不行，
"怀念"没有给这些坟建立纪念堂，
没有让悠久的廊道、雕花的拱顶
洋溢着洪亮的赞美歌，进行颂扬。

栩栩的半身像、铭刻了事略的瓷碑，
难道能恢复断气，促使还魂？
"荣誉"的声音能激发沉默的死灰？
"谄媚"能叫死神听软了耳根？

也许这一块地方,尽管荒芜,

就埋着曾经充满过灵焰的一颗心;

一双手,本可以执掌到帝国的王笏

或者出神入化地拨响了七弦琴。

可是"知识"从不曾对他们展开

它世代积累而琳琅满目的书卷;

"贫寒"压制了他们高贵的襟怀,

冻结了他们从灵府涌出的流泉。

世界上多少晶莹皎洁的珠宝

埋在幽暗而深不可测的海底:

世界上多少花吐艳而无人知晓,

把芳香白白地散发给荒凉的空气。

也许有乡村汉普敦在这里埋身,

反抗过当地的小霸王,胆大,坚决;

也许有缄口的弥尔顿,从没有名声;

有一位克伦威尔，并不曾害国家流血。①

要博得满场的元老雷动的鼓掌，

无视威胁，全不管存亡生死，

把富庶、丰饶遍播到四处八方，

打从全国的笑眼里读自己的历史——

他们的命运可不许：既不许罪过

有所放纵，也不许发挥德行；

不许从杀戮中间涉登宝座

从此对人类关上仁慈的大门。

不许掩饰天良在内心的发作，

---

① 汉普敦（Hampton，一五九五——一六四七），在国会曾为反对查理一世
的领袖，后在内战中阵亡。他和克伦威尔（一五九九——一六五八）是表亲，常在
乡居接受后者的来访，弥尔顿（一六〇八——一六七四）早年住过地处英格兰中部
离"哀歌的墓园"斯托克·坡吉斯（Stoke Poges）不远的乡村，写过他早期几篇名
诗，晚年又从伦敦退居近旁另一处。格雷实际上也只是由家乡墓园启发而写这首
诗，并非专写这特定坟园；而随便提到的几位名人都和邻近地方有关，则更出于巧
合。克伦威尔在十八世纪英国名声不好，文人都加以谴责。

隐瞒天真的羞愧,恬不红脸;
不许用诗神的金焰点燃了香火
锦上添花去塞满"骄""奢"的神龛。

远离了纷纭人世的钩心斗角,
他们有清醒的愿望,从不学糊涂,
顺着生活的清凉僻静的山坳,
他们坚持了不声不响的正路。

可是叫这些尸骨免受到糟蹋,
还是有脆弱的碑牌树立在近边,
点缀了拙劣的韵语、凌乱的刻划,
请求过往人就便献一声惋叹。

无文的野诗神注上了姓名、年份,
另外再加上地址和一篇诔词;
她在周围撒播了一些经文,
教训乡土道德家怎样去死。

要知道谁甘愿舍身喂哑口的"遗忘"，

坦然撇下了忧喜交织的此生，

谁离开风和日暖的明媚现场

而能不依依地回头来顾盼一阵？

辞世的灵魂还依傍钟情的怀抱，

临闭的眼睛需要尽哀的珠泪，

即使坟冢里也有"自然"的呼号

他们的旧火还点燃我们的新灰①。

至于你，你关心这些陈死人，

用这些诗句讲他们质朴的故事，

假如在幽思的引领下，偶然有缘分，

一位同道来问起你的身世——

也许会有白头的乡下人对他说，

"我们常常看见他，天还刚亮，

---

① 灰（或尘），按基督教说法，就是肉体。

就用匆忙的脚步把露水碰落，
上那边高处的草地去会晤朝阳；

"那边有一棵婆娑的山毛榉老树，
树底下隆起的老根盘错在一起，
他常常在那里懒躺过一个中午，
悉心看旁边一道涓涓的小溪。

"他转游到林边，有时候笑里带嘲，
念念有词，发他的奇谈怪议，
有时候垂头丧气，像无依无靠，
像忧心忡忡或者像情场失意。

"有一天早上，在他惯去的山头，
灌木丛、他那棵爱树下，我不见他出现；
第二天早上，尽管我走下溪流，
上草地，穿过树林，他还是不见。

"第三天我们见到了送葬的行列，

唱着挽歌，抬着他向坟场走去——

请上前看那丛老荆棘底下的碑碣，

（你是识字的）请念念这些诗句"：

墓　铭

这里边，高枕地膝，是一位青年，

生平从不曾受知于"富贵"和"名声"；

"知识"可没有轻视他生身的微贱，

"清愁"把他标出来认作宠幸。

他生性真挚，最乐于慷慨施惠，

上苍也给了他同样慷慨的报酬：

他给了"坎坷"全部的所有，一滴泪；

从上苍全得了所求，一位朋友。

别再想法子表彰他的功绩，

也别再把他的弱点翻出了暗窖

（它们同样在颤抖的希望中休息），①

那就是他的天父和上帝的怀抱。

ELEGY WRITTEN IN A
COUNTRY CHURCHYARD

The Curfew tolls the knell of parting day，

The lowing herd wind slowly o'er the lea，

The plowman homeward plods his weary way，

And leaves the world to darkness and to me.

Now fades the glimmering landscape on the sight.

And all the air a solemn stillness holds，

Save where the beetle wheels his droning flight，

And drowsy tinkings lull the distant folds；

---

① "颤抖的希望"，是因为基督教教义认为世界末日即最后审判日，届时死人都得从坟墓里起来接受审判。

Save that from yonder ivy-mantled tow'r

The moping owl does to the moon complain

Of such, as wand'ring near her secret bow'r,

Molest her ancient solitary reign.

Beneath those rugged elms, that yew-tree's shade,

Where heaves the turf in many a mould'ring heap,

Each in his narrow cell for ever laid,

The rude Forefathers of the hamlet sleep.

The breezy call of incense-breathing Morn,

The swallow twitt'ring from the straw-built shed,

The cock's shrill clarion, or the echoing horn,

No more shall rouse them from their lowly bed.

For them no more the blazing hearth shall burn,

Or busy housewife ply her evening care:

No children run to lisp their sire's return,

Or climb his knees the envied kiss to share.

Oft did the harvest to their sickle yield,
Their furrow oft the stubborn glebe has broke;
How jocund did they drive their team afield!
How bow'd the woods beneath their sturdy stroke!

Let not Ambition mock their useful toil,
Their homely joys, and destiny obscure;
Nor Grandeur hear with a disdainful smile,
The short and simple annals of the poor.

The boast of heraldry, the pomp of pow'r,
And all that beauty, all that wealth e'er gave,
Awaits alike th'inevitable hour.
The paths of glory lead but to the grave.

Nor you, ye Proud, impute to These the fault,
If Mem'ry o'er their Tomb no Trophies raise,
Where through the long-drawn aisle and fretted vault
The pealing anthem swells the note of praise.

Can storied urn or animated bust

Back to its mansion call the fleeting breath?

Can Honour's voice provoke the silent dust,

Or Flatt'ry sooth the dull cold ear of Death?

Perhaps in this neglected spot is laid

Some heart once pregnant with celestial fire;

Hands,that the rod of empire might have sway'd,

Or wak'd to extasy the living lyre.

But Knowledge to their eyes her ample page

Rich with the spoils of time did ne'er unroll;

Chill Penury repress'd their noble rage,

And froze the genial current of the soul.

Full many a gem of purest ray serene,

The dark unfathom'd caves of ocean bear:

Full many a flower is born to blush unseen,

And waste its sweetness on the desert air.

Some village-Hampden, that with dauntless breast
The little Tyrant ōf his fields withstood;
Some mute inglorious Milton here may rest,
Some Cromwell guiltless of his country's blood.

Th'applause of list'ning senates to command,
The threats of pain and ruin to despise,
To scatter plenty o'er a smiling land,
And read their hist'ry in a nation's eyes,

Their lot forbade: nor circumscrib'd alone
Their growing virtues, but their crimes comfin'd;
Forbade to wade through slaughter to a throne,
And shut the gates of mercy on mankind,

The struggling pangs of conscious truth to hide,
To quench the blushes of ingenuous shame,
Or heap the shrine of Luxury and Pride
With incense kindled at the Muse's flame.

Far from the madding crowd's ignoble strife,
Their sober wishes never learn'd to stray;
Along the cool sequester'd vale of life
They kept the noiseless tenor of their way.

Yet ev'n these bones from insult to protect,
Some frail memorial still erected nigh,
With uncouth rhymes and shapeless sculpture deck'd,
Implores the passing tribute of a sigh.

Their name, their years, spelt by th'unletter'd Muse,
The place of fame and elegy supply:
And many a holy text around she strews,
That teach the rustic moralist to die.

For who to dumb Forgetfulness a prey,
This pleasing anxious being e'er resign'd,
Left the warm precincts of the cheerful day,
Nor cast one longing ling'ring look behind?

On some fond breast the parting soul relies,

Some pious drops the closing eye requires;

Ev'n from the tomb the voice of Nature cries,

Ev'n in our Ashes live their wonted Fires.

For thee, who mindful of th'unhonour'd Dead

Dost in these lines their artless tale relate;

If chance, by lonely contemplation led,

Some kindred Spirit shall inquire thy fate,

Haply some hoary—headed Swain may say,

"Oft have we seen him at the peep of dawn

Brushing with hasty steps the dews away,

To meet the sun upon the upland lawn.

"There at the foot of yonder nodding beech

That wreathes its old fantastic roots so high,

His listless length at noontide would he stretch,

And pore upon the brook that babbles by.

"Hard by yon wood, now smiling as in scorn,

Mutt'ring his wayward fancies he would rove,

Now drooping, woeful wan, like one forlorn,

Or craz'd with care, or cross'd in hopeless love.

"One morn I miss'd him on the custom'd hill,

Along the heath and near his fav'rite tree,

Another came; nor yet beside the rill,

Nor up the lawn, nor at the wood was he;

"The next, with dirges due in sad array

Slow thro' the church-way path we saw him borne.

Approach and read (for thou can'st read) the lay,

Grav'd on the stone beneath you aged thorn."

THE EPITAPH

Here rests his head upon the lap of Earth,

A Youth to Fortune and to Fame unknown.

Fair Science frown'd not on his humble birth,

And Melancholy mark'd him for her own.

Large was his bounty, and his soul sincere,
Heav'n did a recompense as largely send:
He gave to Mis'ry all he had, a tear,
He gain'd from Heav'n('twas all he wish'd)a friend.

No farther seek his merits to disclose,
Or draw his frailties from their dread abode,
(There they alike in trembling hope repose)
The bosom of his Father and his God.

布莱克(一七五七——一八三二)

　　布莱克是精通几种艺术的人：刻字、雕版、绘画、写诗，而把它们贯通起来的则是他作为手工匠人对周围环境的体验。他家贫，靠雕版为活，恰好又生在产业革命和法国革命交接的历史时刻，英国时局紧张，他自己也因得罪过士兵而几乎入狱，但他仍然向往于大陆上法国革命猛烈开展的局面，只不过他的思想里又有浓厚的宗教意识，把革命与反革命的搏斗看成神魔之争，把革命者追求的公正社会看成是天国在世上的重建。

　　这一切在他是深刻的信念，而不是理智的推论。事实上，布莱克对于作为法国革命理论基础的理性主义是深深地厌恶的。他称实验科学的哲学家培根的话为"魔鬼的劝告"，并且把卢梭和伏尔泰的学说看成是迷住人们眼睛的沙子。他并没有看错，倒是一眼看出了要害，其严厉、其远见有如《旧约》中的先知。

把这样的深刻的信念和锐利的观察写进诗，诗却一点也不复杂，而是惊人地简单：文字简单，全是基本词汇；形式简单，不是儿歌，便是谣曲，多的是叠句和重唱；形象也简单，主要来自基督教《圣经·旧约》，如"火轮"、"闪亮的黄金之弓"、"欲望之箭"，而"耶路撒冷"则是一切地上天国的名字；但也有惊人之笔，如"撒旦的磨房"、"心灵铸成的镣铐"、"被专利了的街道"、"被专利了的泰晤士河"，等等。请看：

伦　敦

我走过每条独占①的街道，

徘徊在独占的泰晤士河边，

我看见每个过往的行人

有一张衰弱、痛苦的脸。

---

① 原文 charter'd 意义复杂，至少有两解：1. 享有商业专利权的，如说 chartered bank(特许银行)；2. 有正式文书为据的，如说 an Englishman's chartered rights 或 chartered liberty，即英国人民所享有的由国王用书面保证的自由权利。此处译文暂从第一解。

每个人的每声呼喊，

每个婴孩害怕的号叫，

每句话，每条禁令，

都响着心灵铸成的镣铐。

多少扫烟囱孩子的喊叫

震惊了一座座熏黑的教堂，

不幸兵士的长叹

化成鲜血流下了宫墙。

最怕是深夜的街头

又听年轻妓女的诅咒！

它骇住了初生儿的眼泪，

又带来瘟疫，使婚车变成灵柩。

LONDON

I wander thro' each charter'd street,

Near where the charter'd Thames does flow,

And mark in every face I meet

Marks of weakness, marks of woe.

In every cry of every Man,
In every Infant's cry of fear,
In every voice, in every ban,
The mind-forg'd manacles I hear.

How the Chimney-sweeper's cry
Every black'ning Church appalls;
And the hapless Soldier's sigh
Runs in blood down Palace walls.

But most thro' midnight streets I hear
How the youthful Harlot's curse
Blasts the new born Infant's tear,
And blights with plagues the Marriage hearse.

谁会想到,这位手工匠人竟会对"专利"一事有如此深刻的印象,如此透彻的了解,把它同雾伦敦街道上的出卖肉体的青年妇女联系起来了!

而且他不是毫无变化。同样写得简单,稍后的《经验之歌》
(一七九四)就远比最初的《天真之歌》(一七八九)要深刻沉
痛,有时两集各有一首同样题目的诗,但意境截然不同,如两首
《耶稣升天节》就是。初期固然写得简单,到了后期则诗风一
变,不再写儿歌似的短诗了,而写几百行上千行的长诗,诗行本
身也突然伸长,过去是七八音节一行,后来则是十四五音节一
行,滔滔向前,形成诗的洪流,而韵律也如呼、如唱、如念符
咒,内容也复杂起来,神秘的、象征性的东西大量增加,但主题
则仍然是革命与反革命的神魔之争,建立天国的艰辛,失去天真
的灾难,为了取得"经验"而付出的惨重代价……

　　经验的代价是什么?能用一曲歌去买它么?
　　能用街头舞去买智慧么?不能!要买它
　　得交出人所有的一切,妻子、儿女统统在内。
　　智慧的出售处是无人光顾的荒凉市场,
　　是那农夫耕种而收不到粮食的干枯田地。

　　在夏天太阳照耀下取得胜利是不难的,

在葡萄丰收时坐在满载粮食的大车上唱歌也不难，
劝受折磨的人要忍耐也不难，
拿审慎的规则去劝无家的流浪汉也不难，
同样不难的是在冬天听着饿鸦的号叫，
当自己身上血管里流着热酒和羔羊的骨髓的时候。

不难的是向发怒的风雨雷电大笑，
是听狗在冬天的门外狂叫，或牛在屠宰场上哀鸣，
是看每阵大风吹来天使，每声雷轰带来祝福，
是从摧毁仇人房屋的风暴里听到爱的声音，
是庆幸霜冻冻坏了仇人的庄稼，病疫夺
　　走了仇人的儿女，
而我们自己有葡萄和橄榄遮住门口，
　　有子孙送上花果。

这时候谁会记得呻吟和哀愁，记得磨房
　　里干苦活的奴隶，
锁链下的俘虏，牢狱里的穷人，战场上的士兵，
谁管他头破骨折，倒地呻吟，羡慕四周的

死者都比他幸福!

身居繁荣的帐幕而庆幸是不难的,
我也能唱歌,能庆幸,但我却不干!

——伐拉,即四佐亚(第二夜)

"What is the price of Experience? do men buy it for a
　　song?
"Or wisdom for a dance in the street? No, it is
　　bought with the price
"Of all that a man hath, his wife, his children.
"Wisdom is sold in the desolate market where none
　　come to buy,
"And in the wither'd field where the farmer plows
　　for bread in vain.

"It is an easy thing to triumph in the summer's sun,
"And in the vintage & to sing on the waggon loaded
　　with corn.

"It is an easy thing to talk of patience to the afflicted,

"To speak the laws of prudence to the houseless wan-

      derer,

"To listen to the hungry raven's cry in wintry season

"When the red blood is fill'd with wine & with the

      marrow of lambs.

"It is an easy thing to laugh at wrathful elements,

"To hear the dog howl at the wintry door, the ox in

      the slaughter house moan;

"To see a god on every wind & a blessing on every

      blast;

"To hear sounds of love in the thunder storm that de-

      stroys our enemies' house;

"To rejoice in the blight that covers his field, & the

      sickness that cuts off his children,

"While our olive & vine sing & laugh round our door,

      & our children bring fruits & flowers.

"Then the groan & the dolor are quite forgotten,& the

　　slave grinding at the mill,

"And the captive in chains,& the poor in the prison,&

　　the soldier in the field

"When the shatter'd bone hath laid him groaning

　　among the happier dead.

"It is an easy thing to rejoice in the tents of prosperity：

"Thus could I sing & thus rejoice：but it is not so with

　　me."

　　　　　　　　　　　—Vala,Night the Second,1793 – 1804

　　这样一个不凡的诗人在当时并不受人注意,后来也被忽略
(十九世纪下半叶著名的英诗选集《金库》初版就只选了他一
首诗!),要等到十九、二十世纪之交叶芝等人起来重编他的
诗集才使人们惊讶于他的纯真与深刻,接着又发表了他的书信
和笔记,他的神启式的画也逐渐普及,于是诗人与画家布莱克
的地位才确立无疑。但是要等到二十世纪五十年代,更完备的
布莱克诗的版本才出现,几本重要的论著(如 N. 费赖依的

《可怕的对称》、D.欧德曼的《反帝国的先知》）也发掘了他后期诗作的意义，时至今日，不少批评家把布莱克列为英国诗史上最伟大的五六位诗人之一。 这种地位的变化，表明不同时期人们诗歌趣味的变化，但也因为布莱克确实成就卓越，经得起不断发掘——很可能，今后还会发掘出许多新的东西来。

华兹华斯(一七七〇——一八五〇)

　　华兹华斯是"湖畔诗人"的领袖,在思想上有过大起大落——初期对法国大革命的热烈向往变成了后来遁迹于山水的自然崇拜,在诗艺上则实现了划时代的革新,以至有人称他为第一个现代诗人。

　　他是诗歌方面的大理论家,虽然主要论著只是《抒情歌谣集》第二版(一八〇〇)的序言,但那篇小文却含有能够摧毁十八世纪古典主义的炸药。他说诗必须含有强烈的情感,这就排除了一切应景、游戏之作;诗必须用平常而生动的真实语言写成,这就排除了"诗歌词藻"与陈言套语;诗的作用在于使读者获得敏锐的判别好坏高下的能力,这样就能把他们从"狂热的小说、病态而愚蠢的德国式悲剧和无聊的夸张的韵文故事的洪流"里解脱出来；他认为诗非等闲之物，而是"一切知识的开始和终结，同人心一样不朽"，而诗人则是"人性的最坚强的保卫者，是支持者和维护者，他所到之处都播下人的情谊和爱"。

这样崇高的诗歌理论过去何曾有过？但光有理论不足以服人，需要新的诗歌来体现它！

华兹华斯的天才在于：他不仅创立理论，而且本人就实践理论。他与柯尔律治合作的《抒情歌谣集》这本小书所开始的，不止是他们两人的文学生涯，而是一整个英国浪漫主义诗歌运动。

对于中国读者，华兹华斯却不是一个十分熟悉的名字。能读英文的人当然都看过他的若干小诗，如《孤独的割麦女》，但不懂英文的人却对他的诗没有多少印象，原因之一是他的诗不好译——哲理诗比叙事诗难译，而华兹华斯写得朴素、清新，也就更不好译了。原因之二是，他曾被评为"反动的浪漫主义"的代表，因此不少人未读他的作品，就已对其人有了反感。还有一个原因可能是：他那类写大自然的诗在我国并不罕见，他的思想也类似老庄，因此人们对他无新奇感。

但他是值得一读的。除了历史上的重要性之外，他有许多优点，例如写得明白如话，但是内容并不平淡，而是常有神来之笔，看似普通的道理，却是同高度的激情结合的。法国大革命就曾深深激动了他，使他后来写下这样的名句：

> 幸福呵，活在那个黎明之中，
> 年轻人更是如进天堂！
>
> ——《序曲》第十一章

> Bliss was it in that dawn to be alive,
> But to be young was very heaven!
>
> —Prelude, XI 108 – 109

他的山水诗极其灵秀，有名句如：

> 我游荡似一片孤云。
>
> I wandered lonely as a cloud.

他的爱情诗，如与一位名叫露西的姑娘有关的几首，也是极其真挚，极其动人，无一行俗笔，用清新的文字写出了高远的意境。他能将复杂深奥的思想准确地、清楚地表达出来，民歌体

的小诗写得精妙，白体无韵诗的运用更在他的手里达到了新的
高峰，出现了宛转说理的长长诗段。用这样的诗段他写出了长
诗《丁登寺旁》，表达了大自然给他的安慰和灵感；接着又经
营多年，写出了一整本诗体自传，题名《序曲——一个诗人心
灵的成长》，开创了自传诗的新形式。在十四行诗方面，他将
弥尔顿的豪放诗风发扬光大，用雄迈的笔调写出了高昂的激
情，例如这样的呼唤这位伟大的前人重来：

啊，回来吧，快把我们扶挽，

给我们良风，美德，自由，力量！

你的灵魂是独立的明星，

你的声音如大海的波涛，

你纯洁如天空，崇高，奔放……

……

O！ raise us up，return to us again；

And give us manners，virtue，freedom，power.

Thy soul was like a Star，and dwelt apart：

Thou hadst a voice whose sound was like the sea，

Pure as the naked heavens, majestic, free. . .

. . .

—London, 1802

这是过去以写爱情为主的十四行诗中罕见之笔，也说明两位爱好自由的大诗人如何心心相印！

总之，华兹华斯诗路广，意境高，精辟，深刻，令人沉思，令人向上，而又一切出之于清新的文字，确是英文诗里三或四个最伟大的诗人之一。只是他后期诗才逐渐枯竭，所作变得冗长沉闷，又使人无限惋惜。

司各特（一七七一——一八三二）

林琴南译的《撒克逊劫后英雄略》使司各特名扬中国。作为一个历史小说家，他的功绩是不可没的。

但他也是一个诗人，特别擅长叙事诗，曾经独步英国诗坛，后来青年拜伦写的东方故事诗夺去了他的市场，他才转而写起小说来。

然而写苏格兰历史上的英雄人物，司各特却比拜伦更为拿手。他的诗笔雄迈，音韵铿锵，善于利用某些老的形式，如用中古时代行吟歌的形式痛斥背弃祖国的可怜虫：

　　　　世上可有这样死了灵魂的人，

　　　　他从未对自己说过一声：

这是我的祖国,我的故乡!

他的心从不沸腾,

当他的脚步走近家门,

尽管经历了异域的流浪。

如有这样的人,盯住他,

行吟者不因他而诗兴勃发,

不管他名气多大,官位多高,

又有多少世人稀罕的财宝;

名、位、金钱种种,

帮不了只顾自己的可怜虫,

他活着得不了荣光,

他死了身魂两丧,

本是尘土,回归尘土,

无人敬,无人歌,也无人哭!

——《末代行吟者之歌》

Breathes there the man with soul so dead,

Who never to himself hath said,

This is my own, my native land!

Whose heart hath ne'er within him burn'd,

As home his footsteps he hath turn'd

From wandering on a foreign strand!

If such there breathe, go, mark him well;

For him no Minstrel raptures swell;

High though his titles, proud his name,

Boundless his wealth as wish can claim;

Despite those titles, power, and pelf,

The wretch, concentred all in self,

Living, shall forfeit fair renown,

And, donbly dying, shall go down

To the vile dust, from whence he sprung,

Unwept, unhonour'd, and unsung.

他又用了民谣的形式讲了许多传奇故事,《洛钦瓦》即是一例:

呵,年轻的洛钦瓦来自西方,

整个边境数他的马壮,

除了宝刀他不带武器,

只身上路闯禁地，
他忠于爱情，不怕战争，
从未见过洛钦瓦这样的英俊。

他不为水停，不为山阻，
没有桥他就游渡，
但没等他到达芮堡的大门，
他的姑娘已经答应了别人，
那人轻爱情，怕战争，
却要娶走洛钦瓦的艾琳。

洛钦瓦径直进了芮堡的大厅，
只见聚集了新娘的一家和客人，
新娘的父亲开腔了，一手按着剑，
（而胆小的新郎不发一言，）
"洛钦瓦爵爷此来是和还是战，
还是为了舞会和婚宴？"

"我久爱令嫒遭你拒，

高涨的情潮今已枯，
此来非为叙旧欢，
只想饮一杯，舞一场，
苏格兰多的是神仙女，
谁不想做洛钦瓦的当家妇？"

新娘拿杯吻，勇士接过来，
一饮而尽把杯摔。
她羞脸先看地，长叹不胜悲，
口上露着笑，眼里含着泪，
老夫人正要阻拦，他已接过玉手，
说道："来同洛钦瓦把舞步走走！"

呵，英武的他！呵，娇艳的她！
哪个大厅里见过这样的一对花！
老爵爷顿脚，老夫人叨唠，
呆立的新郎弄着缎带和呢帽，
底下伴娘们议论开来，
"只有洛钦瓦才把表姐配！"

偷捏一下手,暗传一句话,

等到跳近门口见有马,

他轻轻一下把姑娘向上送,

自己接着对鞍子飞腾,

"到手了! 从此越过关山,

千骑也难把洛钦瓦追赶!"

芮堡里一片上马声,

亲戚朋友全出动,

山上谷里都寻遍,

丢失的姑娘再不见!

这样忠于爱情,不怕战争,

可有第二人能比洛钦瓦的英俊?

——《玛密安》

LOCHINVAR

O Young Lochinvar is come out of the west,

Through all the wide Border his steed was the best,

And save his good broadsword he weapons had none.

He rode all unarm'd, and he rode all alone,

So faithful in love, and so dauntless in war,

There never was knight like the young Lochinvar.

He staid not for brake, and he stopp'd not for stone,

He swam the Eske river where ford there was none;

But ere he alighted at Netherby gate,

The bride had consented, the gallant came late:

For a laggard in love, and a dastard in war,

Was to wed the fair Ellen of brave Lochinvar.

So boldly he enter'd the Netherby Hall,

Among bride's-men, and kinsmen, and brothers and
all:

Then spoke the bride's father, his hand on his sword,

(For the poor craven bridegroom said never a word,)

"O come ye in peace here, or come ye in war,

Or to dance at our bridal, young Lord Lochinvar?"

"I long woo'd your daughter, my suit you denied;

Love swells like the Solway, but ebbs like its tide—

And now I am come, with this lost love of mine,

To lead but one measure, drink one cup of wine.

There are maidens in Scotland, more lovely by far,

That would gladly be bride to the young Lochinvar."

The bride kiss'd the goblet: the knight took it up,

He quaff'd off the wine, and he threw down the cup.

She look'd down to blush, and she look'd up to sigh,

With a smile on her lips and a tear in her eye.

He took her soft hand, ere her mother could bar,—

"Now tread we a measure!" said young Lochinvar.

So stately his form, and so lovely her face,

That never a hall such a galliard did grace;

While her mother did fret, and her father did fume,

And the bridegroom stood dangling his bonnet and

    plume,

And the bride-maidens whisper'd, "'twere better by
far

To have match'd our fair cousin with young Lochin-
var."

One touch to her hand, and one word in her ear,

When they reach'd the hall-door,

and the charger stood near;

So light to the croupe the fair lady he swung,

So light to the saddle before her he sprung!

"She is won! we are gone, over bank, bush, and
scaur;

They'll have fleet steeds that follow, quoth young
Lochinvar."

There was mounting' mong Graemes of the Netherby
clan;

Forsters, Fenwicks, and Musgraves, they rode and
they ran:

There was racing and chasing on Cannobie Lee,

But the lost bride of Netherby ne'er did they see.

So daring in love, and so dauntless in war,

Have ye e'er heard of gallant like young Lochinvar?

从技巧上讲,这诗写戏剧性的动作十分成功,而且充分利用了诗的特点(例如叠句和平行结构),对话也写得恰到好处,几个转折也处理得巧妙,还有一点嘲讽,如对新郎的写照。

未必所有的人都会喜欢这样的诗,会有人说:旧式的英雄美人! 浮面的情感! 粗糙的技巧!

但是这是英国诗的一个声音,时间的潮水似乎并没有能够湮没它。

拜　伦（一七八八——一八二四）

　　拜伦无需介绍。对于中国读者，他的名声可能超过任何其他浪漫诗人。他的杰作《唐璜》是一部大书，也不是三言两语就能说清的。好在现在已经有了一个出色的中文译本，译者是已故诗人查良铮（穆旦），一九八〇年首版出书，不久以前收入了《外国文学名著丛书》而由人民文学出版社重版发行，值得所有喜欢拜伦作品和译诗艺术的同志们一读。

　　我在这里只提供拜伦诗艺的一个侧面，即他在《哈罗尔德游记》第三章里所写的几个人物小照。《游记》是他的少作，很有感染力，艺术上却不成熟。但这只是针对一、二两章而言，等到他隔了几年来续写三、四两章，他已移居意大利，对人世忧患和社会冷酷有了更多的体会，诗艺也大为长进，因此

84

这两章写得更为精彩。他仍然是一个孤独的旅客，但是他较多地注意起别人来；他也仍然是一个探索者，不过这一次他不再迷醉于希腊、土耳其、阿尔巴尼亚等处的异国风光，而是回到了比利时、法国、瑞士、意大利等国亦即欧洲文明的中心地带，他的历史感更敏锐，现实感也更清醒了。

进入到瑞士，几个地方的历史胜迹使他记起了几位启蒙运动的思想家。首先是卢梭。他在日内瓦莱曼湖畔，作了这样的咏叹：

> 这儿有自我折磨的狂生卢梭，
> 生下哭一声，以后也没交好运；
> 替苦难做使徒，为情欲增魅惑，
> 悲惨只引出他滔滔的宏论；
> 疯子他能扮成美人，
> 丑行邪念他能涂上天仙的异彩，
> 全仗一支笔，它像七色霓虹，
> 闪耀而过，使人们敞开
> 流泪，流得伤心又痛快。

——第三章第七十七节

Here the self-torturing sophist, wild Rousseau,

The apostle of affliction, he who threw

Enchantment over passion, and from woe

Wrung overwhelming eloquence, first drew

The breath which made him wretched; yet he knew

How to make madness beautiful, and cast

O'er erring deeds and thoughts a heavenly hue

Of words, like sunbeams, dazzling as they past

The eyes, which o'er them shed tears feelingly and

fast.

在《洛桑和费尔尼》中,他又咏叹了哲学家伏尔泰和历史家吉朋:

洛桑! 费尔尼! 你们沾了荣耀,

靠伟人的居留得了传世的美名。

他们本是凡人,靠走了一条险道,

才赢得千古不朽的声名。

他们是巨大的心灵,誓与天争,

大力神一般,用大胆怀疑去思想,
哪怕招来雷击! 还有雄心
再将天火盗取! 只怕老天难堪,
未必能把人和人的探索欣赏。

一个是火,善变,见异思迁,
孩子般喜怒无常,却又机智灵敏,
时喜时忧,贤者而兼狂狷,
史家,诗人,哲学家集于一身,
又在人间繁殖了无数子孙,
教他们各种手法,各有所长,
而本人最长冷嘲,能像一阵冷风
吹倒前面的一切阻挡,
今天拉下一个蠢才,明天震撼一个国王。

另一个深刻,沉着,想得彻底,
年复一年蜜蜂般将智慧酿造;
闭门沉思,把学问累积。
他精炼武器,笑里藏刀,

用俨然的讥笑,笑倒了俨然的宗教,

不愧是嘲讽之王! 这绝妙的一手

刺得敌人又怕又恼,

信徒们为报复把他往地狱一丢,

这倒能叫所有怀疑派立刻闭口。

　　　　　——第三章第一〇五——一〇七节

Lausanne! and Ferney! ye have been the abodes

Of names which unto you bequeath'd a name;

Mortals,who sought and found,by dangerous roads,

A path to perpetuity of fame:

They were gigantic minds,and their steep aim

Was,Titan-like,on daring doubts to pile

Thoughts which should call down thunder,and the

　　flame

Of Heaven again assail'd,if Heaven the while

On man and man's research could deign do more than

　　smile.

The one was fire and fickleness, a child

Most mutable in wishes, but in mind

A wit as various, —gay, grave, sage, or wild, —

Historian, bard, philosopher, combined;

He multiplied himself among mankind,

The Proteus of their talents: But his own

Breathed most in ridicule, —which, as the wind,

Blew where it listed, laying all things prone, —

Now to o'erthrow a fool, and now to shake a throne.

The other, deep and slow, exhausting thought,

And hiving wisdom with each studious year,

In meditation dwelt, with learning wrought,

And shaped his weapon with an edge severe,

Sapping a solemn creed with solemn sneer;

The lord of irony, —that masterspell,

Which stung his foes to wrath, which grew from
    fear,

And doom'd him to the zealot's ready Hell,

Which answers to all doubts so eloquently well.

这些诗行里充满了警句，一二句话就道出了这几位启蒙主义大思想家的思想实质。"自我折磨"的卢梭却又最会折磨人，特别是青年男女。他一反基督教的"原罪"论，将苦难当作享受，把情欲扮作天仙，使人们以敞开流泪为乐，从而导致了浪漫主义的感情大泛滥，使整个欧洲的青年都成为狂生和浪女。

而伏尔泰和吉朋这两个"巨大的心灵"则是破坏者，颠覆者，都以嘲讽为武器，但又各有特点：前者变化多端，后者沉着深刻，特别是说吉朋

Sapping a solemn creed with solemn sneer

（用俨然的讽笑笑倒了俨然的宗教）

一句成为传诵后世的名言，因为它用卓越的艺术（请看这里 S 音的重复运用，诗句本身带着冷嘲的声调）极其精练地道出了吉朋的贡献，即他的巨著《罗马帝国衰亡史》的中心思想是：罗马帝国之所以衰亡，要怪基督教的传播。正因这一点，也对基督教会

不满、时作离经叛道之言的拜伦也就对吉朋深为折服。

　　贯穿这三个肖像画的，则是拜伦的历史想象力。在这一点上，拜伦又是独步当时诗坛。

　　深刻的理解，洒脱的表达，加上拜伦对于口语体英文的无比纯熟的掌握，使他成功地用韵文描画了这三位大思想家的肖像。过去英国诗里，十七世纪的特莱顿也写过几个政治上的头面人物，也有画肖像的本领，但是由于所写的人物不够崇高——至少历史已经忘了他们——表达的精练也不及拜伦，在这方面拜伦是后来居上了。他的人物更崇高，由于有启蒙主义的彩光照耀着而更吸引人；但是拜伦却并不把他们当作有光圈的圣人，而是客观地、亲切地、有时带着嘲讽地写出他们的真实面貌，包括粉刺、皱纹之类，从而也就使他们更为可信。这样一来，他的《游记》里多了一种体裁，因而更加丰富；而英国诗歌也取得了一个新的进展，在思想上更加广阔昂扬，在艺术上更加精湛隽永。

雪　莱 (一七九二——一八二二)

　　关于另一位浪漫主义大诗人雪莱，也是一言难尽。他的成就是多方面的。他的抒情诗广为人知，特别是他的《西风颂》曾经产生超国界、超文学的力量。多少革命者在处于逆境的时候，朗诵着它的结束语：

　　　　啊，西风，

　　　　如果冬天已到，春天还能遥远？

　　　　O, Wind

　　　　If winter comes, can spring be far behind?

而抬起头来，重新有了希望。

　　这里单说他的诗剧《解放了的普罗米修斯》。它是雪莱的顶峰之作——这一点就连反对雪莱的批评家们也是承认的。诗人要重写古希腊悲剧大家埃斯库罗斯写过的题材，而推翻他的结论：盗火者普罗米修斯没有同主神宙斯妥协，而是坚持斗争，终于得到了解放。人类也跟着经历了一场大变化。原来的情景是：世界上充满了爬虫、癞蛤蟆、毒蛇、恶兽、吃不得的苦果，以及"面貌凶狠的人，眼光骄傲，满脸怒气"，等等。但是后来：

<blockquote>
那些丑恶的人形和人脸，

曾经给我痛苦的种种，

都掠空而过，消失在

那扫荡一切的大风中……
</blockquote>

<blockquote>
Those ugly human shapes and visages,

Of which I spoke as having wrought me pain,

Passed floating through the air, and fading still

Into the winds that scattered them...
</blockquote>

而等"时间的精灵"一出现，又来了全新的景象：

> 瞧，宝座上再无王侯，人们昂首阔步，
> 像神仙般自由结伴，没有谄媚，
> 没有践踏，人的额角上再不刻写仇恨、
> 轻蔑、恐惧，既不自怜也不自鄙……

> 女人也洒脱、美丽、仁慈，一如
> 那向大地洒下光和露水的蓝天，
> 体态轻盈，光彩夺目，再没有
> 旧风俗打下的污渍，完全纯洁；
> 谈吐生智，而过去她们不敢思想，
> 真情袒露，而过去她们不敢感觉，
> 她们变了，过去不敢做的全实现了，
> 这一变使人世成了天堂；再没有骄傲、
> 猜疑、妒忌、恶意中伤，再也不胸藏
> 怨恨，让它那最毒的毒汁
> 破坏爱情的疗治创伤的甜味。

94

And behold, thrones were kingless, and men walked

One with the other even as spirits do,

None fawned, none trampled; hate, disdain, or fear,

Self-love or self-contempt, on human brows

No more inscribed.

And women, too, frank, beautiful, and kind

As the free heaven which rains fresh light and dew

On the wide earth, past; gentle radiant forms,

From custom's evil taint exempt and pure;

Speaking the wisdom once they could not think,

Looking emotions once they feared to feel,

And changed to all which once they dared not be,

Yet being now, made earth like heaven; nor pride,

Nor jealousey, nor envy, nor ill shame,

The bitterest of those drops of treasured gall,

Spoilt the sweet taste of the nepenthe, love.

平等而庄严的人，不轻蔑，无恐惧，既不自怜也不自鄙；而女人也洒脱，美丽，仁慈，洗清了旧风俗打下的污渍，完全纯洁而真情流露。这里提到妇女解放一节，特别值得注意。雪莱曾在诗里多处表达他对于恋爱、婚姻、妇女地位的激进思想，在这里又用高度概括而又有诗意的笔法集中地提了出来。他受过《社会正义》一书的作者、雪莱的岳父威廉·戈德温的影响，但是戈德温无此诗才，更写不出下面这样的大同世界的理想：

> 可憎的面罩脱下了，人又重新变得
> 自由，不受管辖，不受限制，真正的
> 人，平等，没有阶级、种族、国家，
> 没有恐惧、迷信、等级，每人都是
> 自己的王，公正，温和，聪明，可是人
> 就没有热情？——有的，但无内疚，
> 无悲痛，这些本是人的意志所造成；
> 也超脱不了机缘、死亡、变化，
> 但能驾驭它们，使它们不能再阻碍
> 人心飞越天上最高的星，
> 进入那隐约可见的无限空间。

The loathsome mask has fallen, the man remains
Sceptreless, free, uncircumscribed, but man
Equal, unclassed, tribeless, and nationless,
Exempt from awe, worship, degree, the king
Over himself; just, gentle, wise: but man
Passionless? —no, yet free from guilt or pain,
Which were, for his will made or suffered them,
Nor yet exempt, though ruling them like slaves,
From chance, and death, and mutability,
The clogs of that which else might oversoar
The loftiest star of unascended heaven,
Pinnacled dim in the intense inane.

　　这是说理的诗,多的是抽象的概括,全然是严肃的,我们几乎可以想见雪莱在下笔时是一字一斟酌的;但又充满了热情,诗人甚至同自己辩论,而最后则用人心驾驭了意志、机缘、死亡、变化,从而实现了向星空的一跳,跳出了当时英国诗所能达到的最高精神境界。

　　用诗来表达社会理想,不自雪莱始。雪莱的创新,在于他表达的不是模模糊糊的对"乐土"或"黄金时代"的向往,而是一种共产主义式的理想,亦即十九世纪人们在经过一个极长时期受压迫的痛苦生活,又在经历着资本主义工业化带来的希望和煎熬之际所取得的新的觉悟,不仅要推倒王朝,人人自由平等,而且要解放妇女,"每人都是自己的王",真正自由,平等,没有阶级、种族、国家,也从迷信、恐惧等精神奴役里彻底解放出来——只有一点他没有谈到,即不许人剥削人。放在整个诗剧的骨架里来看,所叙述的既是震撼远古三千年的人与神的大搏斗,雪莱着重反对压迫而不涉及贫富差别之类有关剥削的事——姑不论他是否能像马克思那样透视剥削——也是势所必然的。但是正由于他展示了这样一个前景,他就能够在这个世界文学的老题材里加进新的内容,把故事从最初的神话时期延伸到了未来的"隐约可见的无限空间",超越了埃斯库罗斯,也超越了他同时代的英国以及其他国家的诗人。

济　慈（一七九五——一八二一）

　　诗人济慈只活了二十五岁，就因肺病而早逝。他出身中下层人家，生前学过医，候诊室里的凄惨景象是他熟悉的。也许是作为一种补偿，他特别向往"美"——美丽的人，夜莺，花草，田园，古诗，艺术品，整个想象世界。他自己写下的诗行也美：意境，音韵，形象，无一不美——有时美得有点艳丽了。因此，他曾被人看成是"唯美"，甚至是"颓废"。

　　其实他两者都不是。他追求的"美"不是表面的东西，也不只是感官享受，而是有深刻的含义的，用他自己的话说：

　　　　美即是真，真即是美。

　　　　Beauty is truth, truth beauty

而所谓真，又是人的"想象力所捕捉住的美"。然而当时的英国正处于产业革命和法国革命的双重激荡之下，处处有人间苦难。济慈对此也是有深刻感受的，而且还认为人生的最高境界必须有世界的苦难感：

> 谁也夺取不了这个高峰
>
> 除了那些把世界的苦难
>
> 当作苦难，而且日夜不安的人。
>
> ——《海披里安之亡》

None can usurp this height

But those to whom the miseries of the world

Are misery, and will not let them rest.

—The Fall of Hyperion, I, 147 – 149

正是这种"日夜不安"的苦难感使得济慈最明丽的诗行也有阴影，最甜美的音乐里也有不吉祥的敲击声——一边是夜莺唱歌，一边是"饥饿的世代"践踏大地的脚步声。他是一个头脑清醒，有强烈是非感的人，任何人只须一看他写给弟妹和朋友们的信就知道他是一个民主派。他的艺术观——他的美学——

也是重真情实感，认为诗人要有一种深入万物、了解万物的"消极感受力"，不是自以为是，而是像事物本身的性质那样，"能够停留在不肯定、神秘感、怀疑之中，而不是令人生厌地追求事实和道理"。换言之，要化入事物：

> 如果一只麻雀来到我的窗前，我就参与它的存在，同它一起啄着地上的砂石。

他又说：

> 如果诗不是像叶子长到树上那样自然地来临，那就干脆别来了。

把诗看成像树那样能自行生长的植物，这是浪漫主义诗学的重要论点之一。而要使那样的诗能够出现，诗人必须运用想象力。他认为即使哲学的真理也不是单凭逻辑推论所能达到，而必须依靠想象力；有了想象力，人才能真正得到世上的快乐，而且是一种"格调更高"的快乐，非庸俗的享受可比。

这些话并非引自他的论著——他从未写过皇皇大文——而

出于他的书信，总是一二句普通的话，一二个普通的比喻，然而生动，深刻，使人惊讶，道出了浪漫主义诗歌的中心秘密，所以近年来西方搞文学理论的人都纷纷在他的书信里进行发掘，"消极感受力"一词也已成了文学家们经常琢磨的题目了。

济慈之所以能说这些话，是因为他有写诗的经验。他把自己一生献给了诗歌艺术，全力以赴，甘苦自知，经历过试验，失败，达到了抒情诗的高峰，但不以此为足，还要向更高的意境进发，却不料死亡突然夺走了他的诗笔。虽然如此，他在一八一九年夏天创作能力特别旺盛，四五个星期之中写出了除《秋颂》以外的全部颂歌：《心灵颂》、《夜莺颂》、《希腊古瓮颂》、《忧郁颂》、《懒颂》。现在人们公认，济慈即使没写任何别的作品，这几个颂歌就足以使他不朽了。

先来看看他的《夜莺颂》。

《夜莺颂》有一个中心的矛盾，即夜莺所代表的想象世界和诗人所处的现实世界的矛盾：前者处处是音乐，美酒，朦胧光影下的宁静；后者充满纷扰，病痛，焦灼不安。诗人听到夜莺的歌声，随着进入了想象世界，然而在最神往的时候，一声"凄凉"就把他赶回现实世界，这时候韵律直泻而下，最后以一问结束，留下了余音，在几个颂歌中，此颂最实，"世界的苦难"也最显。

《希腊古瓮颂》从一个古瓮上彩绘的画面出发，探索艺术的不朽。主要的画面有三：一景是群众狂欢，二景是一个青年男子追逐一位姑娘，三景是一群人牵着一头牛在街道上走，准备去宰牛祭天。这些人都在动，然而他们的动态却被雕刻家的手捕捉住了，凝固成为静止的艺术品，从此而不朽。诗人面对这样的艺术品，一方面惊叹古希腊文明的伟大，一方面思索着艺术和智慧的关系。夜莺歌来自自然世界，古瓮却是人的创造。这当中有灵感，但也有智慧。诗人的探索也进入一个更高的境界。人世的苦难还略有反响——"老年将使这一代朽化"，"与我们不同的苦难"——但主要的情调是高度的宁静。这也就带来了语言上的变化。夜莺歌里多的是情感性和描述性的形容词，是感叹式的调子，而这里则增加了一个新的成分：思辨式或命题式的陈述，其最显著的例子也就是末节的名言：

> "美即是真，真即是美"，这就包括你们所知道、和该知道的一切。

"Beauty is truth, truth beauty,"—that is all
Ye know on earth, and all ye need to know.

—Ode on a Grecian Urn

《秋颂》被不少评论者认为是几首颂歌里最完美的一首，它的主题是秋季的温暖和丰硕。人皆颂春天的美丽，而济慈则感到秋天的成熟更可爱。一八一九年九月的一个星期天，诗人漫游乡野，感到空气清爽，收割过的田地显得特别温暖，边走边吟，回来就写成此诗。

诗的第一节用一系列的水果的形象，点出秋天是丰收的季节。第二节写人在秋天劳动、休息、榨果成酒的快乐。第三节写秋天的各种声音，诗的音乐美发挥无遗。这样，从秋景、秋收，写到秋声，诗本身也像秋天一样丰满了。

济慈的另一个作品《伊莎贝拉》是一首叙事诗。它的情节取自薄伽丘的《十日谈》（第四日第五篇），是说两个哥哥谋杀了他们妹妹的情人的故事。这首诗表现了济慈叙事的能力，写青年男女的爱情向往颇富于感染力，而对于破坏他们幸福的两个哥哥的谴责又很有思想的深度。原来这两人都是商人，其

财富是从殖民地人民掠夺来的。诗中有这样的描叙,并非薄伽
丘的原作所有,完全是济慈自己加的:

> 锡兰的潜水者为他们屏住呼吸,
>
> 　赤裸着全身走近饥饿的鳄鱼,
>
> 他的耳朵为他们涌着血;为他们,
>
> 　海豹死在冰层上,全身悲惨的
>
> 射满了箭;成千的人只为了他们
>
> 　而煎熬在幽暗无边的困苦里:
>
> 他们悠游着岁月,自己还不甚清楚:
>
> 他们是在开动绞盘,把人们剥皮割骨。

(查良铮译文)

> For them the Ceylon diver held his breath,
>
> 　And went all naked to the hungry shark;
>
> For them his ears gush'd blood; for them in death
>
> 　The seal on the cold ice with piteous bark
>
> Lay full of darts; for them alone did seethe
>
> 　A thousand men in troubles wide and dark:

Half-ignorant, they turn'd an easy wheel,

That set sharp racks at work, to pinch and peel.

然后诗人连问了好几个"他们何必骄傲？"其中有一问是：

他们何必骄傲？可是因为有红格账本比古希腊的诗
  歌更动听？

Why were they proud? Because redlin'd accounts

Were richer than the songs of Grecian years?

只有济慈这样一个敏感又深思的诗人才会用这样鲜明的形
象——红格账本和古希腊诗歌——来加以对照，说明两种思
想、两种意境的截然不同。他把那对商人兄弟称为"算账的人
们"。二十世纪的萧伯纳谈到这首诗，认为在这里济慈实际上
是在点明这些商人是剥削者，他虽没有用一个政治经济学的名
词，所讲的实际上就是《资本论》的道理。萧的话可能夸张
了，但这也说明济慈诗里思想的丰富与深刻是某些评论家所没
有意识到的。

哈　代(一八四〇——一九二八)

　　哈代是大小说家，其名因《苔丝》与《凯斯特勃立治市长》等作品制成影片而愈彰；中国读者容易忽略的，是他也是一个诗人，而且是一个大诗人。

　　诗是他最初的文学试笔；等到后来他的小说受到社会上正人君子的非议，他又愤而掉转笔头，重新写起诗来。这一写也就丰富了英国诗史。他完成了一部大作品，即历史诗剧《群王》（一九〇四——一九〇八），长达十九幕一百三十场，把拿破仑从一八〇五年计划入侵英国到一八一五年战败于滑铁卢的欧洲历史都包括在内。此外，他写了几百首抒情诗。

　　抒情诗里包括了情诗，所咏的对象主要是他的前妻埃玛，是悼亡之作，但与一般悼亡之作不同，没有美化死者，而是如实写出，当初如何地爱，后来又怎样让时间冲蚀了感情，到末了则更是眷恋。这一种讲真话的态度，和对过往的时与地的深思，都是哈代的特点。他的感情极为真挚深厚，诗中无滥调，也无丽辞，而是用乡下人本质的语言，有时掺加几个僻词，甚至自造的词，但绝不走浮艳的路，读起来反而使人低徊不已。可以《呼唤声》一诗为例：

　　　我深深怀恋的女人，你那样地把我呼唤，

　　　把我呼唤，说你如今已不像从前——

　　　一度变了，不再是我心中的光灿

　　　——却像开初，我们的生活美好时一般。

　　　莫非那真是你的呼声？那就让我瞧瞧你，

　　　就像那时我走近小镇，你站在那里

　　　等候我，是呵，就那时像我熟知的你，

　　　甚至连你那身别致的天蓝裙衣！

　　　难道那不过是懒倦的微风

　　　飘过湿润的草地吹到了我身边，

而你已化作无声无息的阴影，

无论远近，再也听不见？

　于是我，踉跄向前，

　　四周树叶儿飘散，

北风稀稀透过棘丛间，

　　犹闻那女人在呼唤。

（此节引哈代各诗，皆钱兆明所译）

THE VOICE

Woman much missed, how you call to me, call to me,

Saying that now you are not as you were

When you had changed from the one who was all to
　me,

But as at first, when our day was fair.

Can it be you that I hear? Let me view you, then,

Standing as when I drew near to the town

Where you would wait for me: yes, as I knew you

then,
Even to the original air-blue gown!

Or is it only the breeze, in its listlessness
Travelling across the wet mead to me here,
You being ever dissolved to wan wistlessness,
Heard no more again far or near?

Thus I; faltering forward,
Leaves around me falling,
Wind oozing thin through the thorn from norward,
And the woman calling.

情诗之外，哈代还留下了大量其他优秀诗篇。

《写在"万国破裂"时》一诗用乡间常见的形象——老马耕地，茅根起火，少女恋爱——来同战争对照，表明屠杀瞬间将消失，而人生却是永恒的。诗只三节，每节只一个中心形象，语言极为简洁，只到最后两行才略点题：

I ①

只有一个人跟在一匹

　　垂头踉跄的老马后

缓缓地、默默地在耙地，

　　他们在半眠中走。

II

只有几缕没有火光的烟

　　从一堆堆茅根袅起；

王朝一代代往下传

　　这却延续不变易。

III

远处一个少女跟她侣伴

　　说着话悄悄走近；

---

① 此首作于第一次世界大战初期，"万国破裂"的意象取自《旧约·耶利米书》第十五章第二十节"你是我的战斧，我要用你把万国砸得粉碎。"

未及他们的故事失传，

　　战史便在夜空消隐。

IN TIME OF "THE BREAKING OF NATIONS"

I

Only a man harrowing clods
　　In a slow silent walk
With an old horse that stumbles and nods
　　Half asleep as they stalk.

II

Only thin smoke without flame
　　From the heaps of couch-grass;
Yet this will go onward the same
　　Though Dynasties pass.

III

Yonder a maid and her wight

Come whispering by：

War's annals will fade into night

Ere their story die.

《身后》一诗更是中外诗歌中罕见之作，全文如下：

当我不安度过一生后，"今世"把门一锁，

　　五月又像新丝织成的纤巧的翅膀，

摆动起欢快的绿叶，邻居们会不会说，

　　"他这个人素来留意这样的景象"？

若是在黄昏，如眼睑无声地一眨那样，

　　暮天的苍鹰掠过高地的阴影

落在叫风吹斜的荆棘上，注视者会想：

　　"这准保是他熟悉的情景。"

我若死于一个飞蛾联翩、温暖漆黑的夜里，

　　当刺猬偷偷摸摸地穿过草地时，

有人会说："他为保护这些小生命出过力，

　　但没做成什么；如今他已去世。"

人们传闻我终于安息的消息后，

　　若倚门仰望冬夜布满星斗的天际，

愿从此见不到我的人心中浮现这样的念头：

　　"他这个人可洞悉那里的奥秘。"

当丧钟开始为我哀鸣，一阵轻风吹过，

　　哀音随之一顿，旋即继续轰鸣，

仿佛新的钟声又起，可有人会说：

　　"他听不见了，过去对这却总留心"？

AFTERWARDS

When the Present has latched its postern behind my
　　tremulous stay,

　　And the May month flaps its glad green leaves like
　　　wings,

Delicate-filmed as new-spun silk, will the neigh-
　　bours say,

　　"He was a man who used to notice such things"?

If it be in the dusk when, like an eyelid's soundless blink,

    The dewfall-hawk comes crossing the shades to alight

Upon the wind-warped upland thorn, a gazer may think,

    "To him this must have been a familiar sight."

If I pass during some nocturnal blackness, mothy and warm,

    When the hedgehog travels furtively over the lawn,

One may say, "He strove that such innocent creatures should come to no harm,

    But he could do little for them; and now he is gone."

If, when hearing that I have been stilled at last, they stand at the door,

Watching the full-starred heavens that winter sees,

Will this thought rise on those who will meet my
face no more,

"He was one who had an eye for such mysteries"?

And will any say when my bell of quittance is heard
in the gloom,

And a crossing breeze cuts a pause in its ou-
trollings,

Till they rise again, as they were a new bell's boom,

"He hears it not now, but used to notice such
things?"

对死亡感兴趣的诗人多矣，种种抽象的玄思表达了不少，唯有
哈代写得如此实在，用邻居们的几句闲谈来写出对死者的淡淡
的然而真挚的怀念，而不是议论声名不朽、灵魂不灭之类的大
题目。这样实实在在的悬想身后之事，看似平常，意极清新，
道人所未道，开辟了英国诗的新意境。

哈代的诗还有一个特点，即形式上的完整，往往每节起句

或末句相同，造成一种回旋式的前后呼应，在听觉上有音乐美，在视觉上有建筑美。

以上这些特点使得哈代突出于二十世纪初年的英国诗坛。他比当时的后浪漫派要朴素、深刻，而他的土生土长的气质和英国传统的艺术手法又使他截然不同于当时正在风靡西方世界的现代派诗人如艾略特。事实上，后者是攻击哈代所作的，而且颇有附和者。然而时间是公正的评判者。到了今天，人们越来越多地看出哈代诗作的内在优点，而艾略特等人炫奇的手法则已过时，以致有的论者认为现代主义诗歌只是一种旁支，哈代才代表了英国诗歌的主流。

霍思曼(一八五九——一九三六)

霍思曼是严谨的古典文学学者，同时又是抒情诗人。他的诗数量不多，主要的集子是《西罗普郡少年》（一八九六）。

霍思曼的诗的第一个特点是简洁，简洁得有如格言，但不枯燥，因为简洁的形式之下有着动人的内容，主要是人生的悲剧感：爱情的不能持久，命运的捉弄，死亡的无所不在，例如引用民间谚语来写青年之受绞刑：

> 从前常有个无忧虑的牧童
>
> 在那边月下牧羊
>
> ——第九首

A careless shepherd once would keep

The flocks by moonlight there

这"月下牧羊"便是民间对吊在绞架上的俗称。诗的背景也是英国的农村，但很少写老人，着重写的是二十岁左右的青年人的感情。青年人应该是朝气蓬勃的，然而霍思曼却写他们的夭折、凋谢，其主要情调可以用下列一节诗所传达的作为代表：

> 矫健的少年安卧在
>
> 无从飞越的溪边，
>
> 在春花凋谢的田野里，
>
> 沉睡着花颜的女儿。
>
> ——第五十四首

By brooks too broad for leaping

The lightfoot boys are laid;

The rose-lipt girls are sleeping

In fields where roses fade.

—With Rue My Heart Is Laden

　　这是一个充满了回忆和感喟的静态的世界，其吸引力在于英国式的伤感同拉丁式的典雅的结合，用笔极为经济，一字一字像是刻在石板上那样整齐，感情的范围虽然比较窄狭，却常能从个人的不幸联系到亘古以来的宇宙的不公，有点哈代的味道，而哈代正是霍思曼所喜欢的少数英国作家之一。

　　中国译霍思曼而卓有成绩的是已故的周煦良先生。本文所引各行即出他手。不久前湖南人民出版社重新出了他的译本，为"诗苑译林"丛书之一，书前有一篇长序，谈到他译诗的办法，既具体，又深刻，是近来论文学翻译的难得的好文章，值得有志译诗者一读。

叶 芝(一八六五——一九三九)

诗人总是有所发展的,叶芝的特别之处在于,他不仅从象征主义发展到现代主义,而且还超越现代主义,年纪老了,仍然写出很有劲头的好诗。

有两样东西一明一暗地闪现在叶芝的诗里,一个是爱尔兰民族解放运动,一个是他个人的一套神秘主义体系。他同两者都有微妙的关系。简单地说,前者使他的诗增加了英雄主义的色彩,而这在现代英语诗里是少见的——虽然他本人对民族解放运动、特别是武装斗争有保留;后者是叶芝本人用心构筑的,但却没有毁了叶芝的诗,其情况有如叶芝本人所服膺的布莱克。

在这些之上,有叶芝的诗才吸收一切,融化一切。他的理想世界是脱去了人间生死哀乐、只有永恒的艺术的拜占庭之类的地方，这是虚幻的，然而他能写出追求这样一个世界的人的心情，他们的忧虑和憧憬是实在的。他在《再降》这首诗里所写的现代西方文明的绝境：

> 事物崩溃了，中心不能稳住，
> 只有无政府泛滥于全世。

> Things fall apart; the centre cannot hold;
> Mere anarchy is loosed upon the world.

也是第一次世界大战以后的欧洲的写照。当他写爱尔兰解放运动的时候，他的诗进入另一种境界。一方面他不讳言自己平时对运动中某些人的厌恶和鄙视，但又能够写出起义虽失败，却使每个参加者都变得崇高了：

> 一切都变了，彻底变了
> 可怕的美已经产生。
>
> ——《一九一六年复活节》

All changed, changed utterly:

A terrible beauty is born.

这一种悲壮心情使他的诗行也带上英雄光泽，同时表现出诗人
有高度的诚实，没有浮泛的感伤情绪。

　　叶芝初期的诗作是写得绝美的：朦胧、甜美而略带忧郁，
充满了美丽的词藻，但他很快就学会写得实在、硬朗，而同时
仍然保留了许多美丽的东西。他的诗歌语言既明白如话，又比
一般白话更高一层，做到了透亮而又深刻。就像《一件外衣》
那样不过八行的小诗，也是在优美的比喻之后来了清醒的现实
感，最后归纳成为既有形象又有哲理的两行：

　　赤身走路，

　　更有胆略。

For there's more enterprise

In walking naked.

可惜的是，这一点他在语言上做到了，但在思想上没有做
到，神秘主义是比任何神话更沉重的外衣。《驶向拜占庭》
整首诗是一大象征，然而其中有极为普通的道理，用最实在

的普通语言点明：

> 一个老人是猥琐的东西，
>
> 一件挂在竹竿上的破衣。
>
> An aged man is but a paltry thing,
>
> A tattered coat upon a stick.

第一行是很少入诗的陈述句，第二行是来自日常生活的普通话，但两者合在一起就产生了神奇的效果：前者变成警句，后者变成确切的比喻。叶芝的诗才于此可见。

但是叶芝最好的作品却是完全不用神话而写实际的一类，例如：

一九一三年九月①

> 你们需要什么？为什么神智清醒了，
>
> 却还在油腻的钱柜里摸索寻找，

---

① 此诗的起因是：休·联爵士愿将其所藏法国印象派名画捐献给都柏林市，条件是该市能建造一座画廊，不意遭到许多阻碍，于是撤回捐献（虽然后来在他死后实现了此事）。叶芝对此深有所感，写了此诗，慨叹爱尔兰中产阶级的庸俗保守。诗中的"你们"指都柏林市的有钱市民。

在一个便士上再加半个便士，

战战兢兢地祈祷之后再作祈祷，

直到骨子里骨髓全部干掉？

人们生下来只是为了祈祷和储蓄，

浪漫的爱尔兰已经死了完了，

随着奥利莱进了坟墓。[①]

他们可是另外的一群，

提起名字就会止住你们的嬉笑。

他们在世上犹如狂飙掠过，

但没有时间用来祈祷，

绞刑吏早为他们结好绳套，

天知道他们有什么可以储蓄！

浪漫的爱尔兰已经死了完了，

随着奥利莱进了坟墓。

---

① 约翰·奥利莱（一八三〇——一九〇七），爱国志士，终身为爱尔兰独立而奋斗，曾因此坐牢流亡。

难道孤雁长飞,①在每个海洋上

展翅,就是为了这样的局面?

为了它流了多少的血,

费兹求洛②把生命贡献,

艾密特③和吴夫·董④上了刑台,

勇士们慷慨地抛出了头颅。

浪漫的爱尔兰已经死了完了,

随着奥利莱进了坟墓。

如果我们能倒转岁月,

唤回那些被放逐的人们,

连同他们的孤独和痛苦,

你会喊:"哪一个金发女人

---

① 指流亡在外的爱尔兰天主教徒。

② 爱特华·费兹求洛勋爵(一七六三——一七九八),发动抗英起义,受伤而死。

③ 罗伯特·艾密特(一七七八——一八〇三),一八〇二年发动抗英起义,失败后被处死。

④ 吴夫·董(一七六三——一七九八),爱尔兰志士,曾引进法军助战,但为英军俘获,死于狱中。

使得每个母亲之子这般疯狂！"

他们对自己付出的视如尘土。

让他们去吧，他们已经死了完了，

随着奥利莱进了坟墓。

SEPTEMBER 1913

What need you, being come to sense,

But fumble in a greasy till

And add the halfpence to the pence

And prayer to shivering prayer, until

You have dried the marrow from the bone?

For men were born to pray and save:

Romantic Ireland's dead and gone,

It's with O'Leary in the grave.

Yet they were of a different kind,

The names that stilled your childish play,

They have gone about the world like wind,

But little time had they to pray
For whom the hangman's rope was spun,
And what, God help us, could they save?
Romantic Ireland's dead and gone,
It's with O'Leary in the grave.

Was it for this the wild geese spread
The grey wing upon every tide;
For this that all that blood was shed,
For this Edward Fitzgerald died,
And Robert Emmet and Wolfe Tone,
All that delirium of the brave?
Romantic Ireland's dead and gone,
It's with O'Leary in the grave.

Yet could we turn the years again,
And call those exiles as they were
In all their loneliness and pain,
You'd cry, "Some woman's yellow hair

Has maddened every mother's son":
They weighed so lightly what they gave.
But let them be, they're dead and gone,
They're with O'Leary in the grave.

人们常说叶芝高傲，贵族气，然而在这里他对都柏林有资产的市民的指责又有哪一点不对？那些人只在"油腻的钱柜"上打算盘，不愿为保存艺术品多花一个便士，又怎能对得住曾为爱尔兰独立献身的英雄烈士？爱尔兰的斗争史进入了诗篇，以英雄们的"狂飙掠过"、"孤雁长飞"来对照这些连"骨髓都全部干掉"的庸人们，于是诗人的慨叹"浪漫的爱尔兰已经死了完了"也就成为充分有力、无法辩驳的结论了。这首诗，针对当前时事，然而又摆进历史背景，写得实，但又有一点神秘色彩（例如提到"哪一个金发女人"），形式也整齐，语言透明而又有几个关键的形象，每个形象都一看就懂，很恰当，很美，富于感染力却又不追求先锋派所醉心的奇特效果——实是现代英文诗里最优秀的作品之一。

叶芝还写过诗剧，他同格里高利夫人一起主持的阿贝戏院在爱尔兰文艺复兴中起了重要作用。

与叶芝同时或稍后的诗人，大多佩服他的诗才。他于一九二三年获诺贝尔文学奖金。一九三九年正是欧洲双方准备大打的时候，他在战云笼罩下的法国悄然去世。然而悼念他的诗陆续出现，其著者如奥登。三十年代之初，在编《牛津现代诗选》时，叶芝曾说他自己的诗不及奥登等青年诗人那样有时代感，当时奥登他们所师法的艾略特更是风靡一时，但是今天多数的批评家则认为叶芝的成就超过他们，他才是二十世纪上半叶最重要的英语诗人。

缪　亚(一八八七——一九五九)

艾德温·缪亚，苏格兰人，是英国二十世纪的重要作家，做了许多工作，例如介绍过卡夫卡的作品，写过有关小说结构的颇有见地的专著，但主要是一个诗人。他爱苏格兰，但认为时至二十世纪，不宜于再用苏格兰方言写作，因此而与休·麦克迪尔米德有一场很激烈的争论。他本人的诗是完全用英语写的。

他的诗采用传统的形式，但在内容上多所扩展，例如对于时间问题、善恶问题、现代世界上的流亡和隔离等现象都有新的探索。《马》是缪亚的名作之一，T. S. 艾略特称之为一首"'原子时代'的伟大而可怕的诗"[①]。诗人假想一场原子大

---

① 《缪亚诗集》，伦敦，一九五二年，前言。

战过后，生活回到了单纯朴素的农耕时代，一群神秘的马到来，象征着一种古老友伴关系的重新恢复。"自由的服役"是他所强调的，归真返璞则是他的希望所在。

在写法上他着重准确，即要写出真情实感，恰如其分，不夸张，不浮泛。他似乎写得很"实"，但又常有一种梦幻式的气氛，往往实笔只是一种比喻，一种象征，背后还有更大更深厚的东西。显然，他受到了他所翻译的卡夫卡的影响；所不同的，是他并不给人阴郁的印象。

在这个意义上，他是一个没有现代派外表的真正的现代派。在他的传统式的明白晓畅后面有着现代的敏感和深刻；他似乎简单易懂，但又经得起一再重读。没有几个二十世纪的诗人具备这两重品质，即既有可读性，又有可发掘性。

马

那场叫世界昏迷的七日之战过后
不过十二个月，
一个傍晚，夜色已深，这群奇怪的马来了。
那时候，我们刚同寂静订了盟约，
但开始几天太冷静了，

我们听着自己的呼吸声音,感到害怕。

第二天,

收音机坏了,我们转着旋钮,没有声音;

第三天一条兵舰驶过,朝北开去,

甲板上堆满了死人。第六天,

一架飞机越过我们头上,栽进海里。

此后什么也没有了。收音机变成哑巴,

但还立在我们的厨房角落里,

也许也立在全世界几百万个

房间里,开着。但现在即使它们出声,

即使它们突然又发出声音,

钟鸣十二下之后又有人报告新闻,

我们也不愿听了,不愿再让它带回来

那个坏的旧世界,那个一口就把它的儿童

吞掉的旧世界。我们再也不要它了。

有时我们想起各国人民在昏睡,

弯着身子,闭着眼,裹在穿不透的哀愁之中,

接着我们又感到这想法的奇怪。

几架拖拉机停在我们的田地上,一到晚上

它们像湿淋淋的海怪蹲着等待什么。

我们让它们在那里生锈——

"它们会腐朽，犹如别的土壤。"

我们拿生了锈的耕犁套在牛背后，

已经多年不用这犁了。我们退回到

远远越过我们父辈的土地的年代。

        接着，那天傍晚，

夏天快结束的时候，那群奇怪的马来了。

我们听见远远路上一阵敲击声，

咚咚地越来越响了，停了一下，又响了，

等到快拐弯的时候变成了一片雷鸣。

我们看见它们的头

像狂浪般向前涌进，感到害怕。

在我们父亲的时候，把马都卖了，

买新的拖拉机。现在见了觉得奇怪，

它们像是古代盾牌上名驹

或骑士故事里画的骏马。

我们不敢接近它们，而它们等待着，

固执而又害羞，像是早已奉了命令

来寻找我们的下落，

恢复早已失掉的古代的友伴关系。

在这最初的一刻，我们从未想到

它们是该受我们占有和使用的牲畜。

它们当中有五六匹小马，

出生在这个破碎的世界的某处荒野，

可是新鲜活跳，像是来自它们自己的伊甸园。

后来这群马拉起我们的犁，背起我们的包，

但这是一种自由的服役，看了叫我们心跳，

我们的生活变了；它们的到来是我们的重新开始。

THE HORSES

Barely a twelvemonth after

The seven days war that put the world to sleep，

Late in the evening the strange horses came.

By then we had made our covenant with silence，

But in the first few days it was so still

We listened to our breathing and were afraid.

On the second day
The radios failed; we turned the knobs; no answer.
On the third day a warship passed us, heading north,
Dead bodies piled on the deck. On the sixth day
A plane plunged over us into the sea. Thereafter
Nothing. The radios dumb;
And still they stand in corners of our kitchens,
And stand, perhaps, turned on, in a million rooms
All over the world. But now if they should speak,
If on a sudden they should speak again,
If on the stroke of noon a voice should speak,
We would not listen, we would not let it bring
That old bad world that swallowed its children quick
At one great gulp. We would not have it again.
Sometimes we think of the nations lying asleep,
Curled blindly in impenetrable sorrow,
And then the thought confounds us with its strangeness.
The tractors lie about our fields: at evening
They look like dank sea-monsters couched and waiting.

We leave them where they are and let them rust:
"They'll moulder away and be like other loam",
We make our oxen drag our rusty ploughs,
Long laid aside. We have gone back
Far past our fathers' land.

           And then, that evening
Late in the summer the strange horses came.
We heard a distant tapping on the road,
A deepening drumming; it stopped, went on again
And at the corner changed to hollow thunder.
We saw the heads
Like a wild wave charging and were afraid.
We had sold our horses in our fathers' time
To buy new tractors. Now they were strange to us
As fabulous steeds set on an ancient shield
Or illustrations in a book of knights.
We did not dare go near them. Yet they waited,
Stubborn and shy, as if they had been sent
By an old command to find our whereabouts

And that long-lost archaic companionship.

In the first moment we had never a thought

That they were creatures to be owned and used.

Among them were some half-a-dozen colts

Dropped in some wilderness of the broken world,

Yet new as if they had come from their own Eden.

Since then they have pulled our ploughs and borne
our loads,

But that free servitude still can pierce our hearts.

Our life is changed; their coming our beginning.

艾略特（一八八八——一九六五）

　　艾略特也许不是二十世纪最伟大的英语诗人，但毫无疑问是最有影响的英语诗人。通过他自己的诗，也通过他的一整套文论，艾略特把他的现代主义传播到了世界上一切对诗歌革新有憧憬、有实践的地方，在整整半个世纪之内使人们读他，谈他，学他，也骂他，反对他，至今余波未息。

　　然而这是一种奇怪的现代主义，因为伴随而来的是一种正统的传统观——不仅仍然要传统，而且要以罗马天主教、英国国教为中心的传统，只不过他认为传统连续不断，时时更新，古今优秀文学是"同时并存"的。在实践里，当然艾略特泄露了他的偏爱，他的美国出身（因而比欧洲文人更倾倒于欧洲文化），他也有过的浮华、气盛的青年时期（因而故作惊人之言，说什么《哈姆雷特》是一个艺术上的失败，弥尔顿是破坏了英语表达力的罪魁等等），同时也确实有效地改变了高雅社会的一部分文学趣味，使他们放下浪漫派，拿起玄学派、法国后象征派和詹姆士一世时期的诗剧。

艾略特的诗里也有这一些和更多的文学作品的"同时存在"，因为摘引别人作品是他写诗的手法之一。不止摘引，他还借用神话、传说、哲学和心理学的新理论、人类学社会学的新成果，等等，因此他最著名的作品《荒原》看起来就像是大量引语的拼贴画。这样的引语识者不多，于是他又加了大量注释，使得读诗又变成了做学问。

没有人能只靠摘引和注释写出好诗来；艾略特除了掉书袋之外，是有真实诗才的。首先，他敏锐地看出了第一次世界大战前后欧洲所遭遇的文明危机，他对这危机的严重性的认识也远比一般时事观察家要深得多，而危机范围之大则他认为从"不真实的城市"一直伸展到每人的灵魂之中。

其次，他运用了一种技巧，既能传达这样一个复杂的主题，又能把读者卷入新的诗风。他不容许他的读者——当然也不容许他自己——堕入甜美的、感伤的抒情调子，因为那样的调子引不出危机感；这就是为什么他在理论和实践上都要大力反对浪漫主义。针对浪漫派的优美音调，他选择了无韵的自由诗作为主要形式，其风格特点是散文化、口语化。针对浪漫派的黄昏、月亮、玫瑰之类，他用新的形象去震惊读者。

今天，读者当然不再感到震惊了。但在《阿尔弗瑞德·普鲁弗洛克的情歌》发表之初（一九一七年），人们是不习惯艾略特的这类形象的：

> 朝天空慢慢铺展着黄昏
> 好似病人麻醉在手术桌上
>
> 街连着街，好像一场讨厌的争议
> 带有阴险的意图
> 要把你引向一个重大的问题……

> When the evening is spread out against the sky
> Like a patient etherised upon a table
>
> Streets that follow like a tedious argument
> Of insidious intent

To lead you to an overwhelming question. . .

这些形象里既有现代城市生活，又有现代知识分子的心智活动，都传达了尖锐的现实感。艾略特的匠心，还见于更切近日常生活的形象：

> 我是用咖啡匙子量走了我的生命
> 那我怎么能开始吐出
> 我的生活和习惯的全部剩烟头？

> I have measured out my life with coffee spoons
> Then how should I begin
> To spit out all the butt-ends of my days and ways?

特别是读者容易忽略过去的：

> 呵，我变老了……我变老了……
> 我将要卷起我的长裤的裤脚。

I grow old. . . I grow old. . .

I shall wear the bottoms of my trousers rolled.

一个简单的动作，然而代表了一片心情：只有心情上衰老的人才那样小心保护裤脚，才为了方便而放弃雅观。这一形象也就起了"客观关联物"的作用——这一理论，连同它的名词，都是艾略特提出的。

至于《荒原》，那么整诗就笼罩在一大形象之内：二十世纪的西方是一片荒原，没有水来滋润，不能生产，需要渔王回来，需要雷声震鸣——而实际上水又所在都是，河流和海洋，真实的和想象的，都在通过韵律、形象、联想，通过音乐和画面，形成了一条意义的潜流。在这等地方，我们又看出艾略特的丰富和深刻，看出他从现代艺术学到的作曲和构图的新原理。他完全可以写得很美，只不过这是一种节奏和色彩组成的美，例如：

有时我能听见

在下泰晤士街的酒吧间旁，

一只四弦琴的悦耳的怨诉，

而酒吧间内渔贩子们正在歇午，

发出嘈杂的喧声，还有殉教堂：

在它那壁上是说不尽的

爱奥尼亚的皎洁与金色的辉煌。

（至此为止的引文，系查良铮译；下面出自《四个四重奏》的
引文，系裘小龙译）

I can sometimes hear

Beside a public bar in Lower Thames Street，

The pleasant whining of a mandoline

And a clatter and a chatter from within

Where fishermen lounge at noon：where the walls

Of Magnus Martyr hold

Inexplicable splendour of Ionian white and gold.

四弦琴的悦耳的怨诉，渔贩子的嘈杂的喧声，带来了生命力，
而最后则是建筑美和"它那壁上说不尽的皎洁与金色的辉煌"。
这样一段诗出现在两个小职员有欲无情的幽会的描绘之后，就

显得分外美丽，荒原的枯燥和寂寞也就暂时地打破了。

艾略特并不停顿原地。在发展的路上，他有成功，也有失败。所谓失败，是指他在诗剧上的试验。他想在二十世纪的条件下复兴十七世纪型的诗剧。他写出了不少好台词，像《大教堂谋杀案》里借用宗教仪式来作的形式试验也是成功的，但是尽管他在五十年代下了很大力气一连写了五六个剧本，其中多数还曾上演，甚至盛大上演，并且博得好评，现在我们看得清楚：《元老政治家》之类的剧本已被遗忘，诗剧也没有复兴。

倒是在大写诗剧之前，艾略特已经发表了另一部大作品：《四个四重奏》。真正的成功是在这里。艾略特本人说过他羡慕贝多芬后期写的几个四重奏，认为在那里音乐进入了更高级的纯粹的境界。《四个四重奏》也进入了纯粹的境界，大段的回旋式的陈述里包含着对人生的沉思，对乡村景物的感应，自我反省，自我辩论，以及对诗歌语言的关注：

> 去年的话属于去年的语言，
> 而明年的话等待另外一个声音。

For last year's words belong to last year's language

And next year's words await another voice.

但同时，诗又满载着历史的记忆和今天的现实：

> 当黑色的鸽子吐着闪光的舌头
> 在他归途的地平界下经过

After the dark dove with the flickering tongue
Had passed below the horizon of his homing

轰炸机出现了，英国的命运同时间和历史交叉在一点，这又是真正的战争诗。艾略特立在战争的黑夜里，想起了曾居斯土的祖先，想起了英国的将来。这时他早已脱去了炫奇的外衣，沉静下来，只靠深刻的思考、近乎透明的语言、余响不绝的音韵，写下了他最好的诗。

麦克迪尔米德（一八九二——一九七八）

    麦克迪尔米德是二十世纪苏格兰最重要的诗人，这一点现在已无异议。他中年变法，引起的惋惜多于赞美，然而诗人自己却说得斩钉截铁：

> 最伟大的诗人往往要经过一次艺术上的危机，
> 一个同他们过去成就一样巨大的转变……
> 庸人们惋惜我诗风的改变，说我抛弃了"有魅力的早
>   期抒情诗"——
>
> 可是我已在马克思主义里找到了我所需的一切……
>   ——《首先，我写的是马克思主义的诗》

The greatest poets undergo a kind of crisis in their art,

A change proportionate to their previous achievement...

Fools regret my poetic change—from my "enchanting early lyrics"—

But I have found in Marxism all that I need—

—And, Above All, My Poetry Is Marxist

这倒真是有诗为证的。例如：

未来的骨骼（列宁墓前）

红色花岗岩，黑色闪长岩，蓝色玄武岩，

在雪光的反映下亮得耀眼，

宛如宝石。宝石后面，闪着

列宁遗骨的永恒的雷电。

THE SKELETON OF THE FUTURE

(At Lenin's Tomb)

Red granite and black diorite, with the blue

Of the labradorite crystals gleaming like precious

   stones

In the light reflected from the snow; and behind them

The eternal lightning of Lenin's bones.

           —Scots Unbound and Other Poems, 1932

又如《我为什么选择红色》：

我穿红衣战斗，

理由同加里波第①选择红衬衫一样——

因为战场上只要有几个人穿红衣，

看起来就是一大群——十个人

---

①　加里波第(Ginseppe Garibaldi，一八〇七——一八八二)，意大利民族解放运动领袖，曾组织红衫军。

像一百个人；一百个人

像一千个人。

红色还会在敌人的步枪瞄准器里晃动，

使他瞄不准。——当然，最重要的理由是，

一个穿红衬衫的人既不能躲，也不能退。

（一九四三）

WHY I CHOOSE RED

I fight in red for the same reason

That Garibaldi chose the red shirt

—Because a few men in a field wearing red

Look like many men—if there are ten you will think

There are a hundred；if a hundred

You will believe them a thousand.

And the colour of red dances in the enemy's rifle
   sights

And his aim will be bad—But，best reason of all，

A man in a red shirt can neither hide nor retreat.

这些都是好诗，更不必提有名的献给列宁的三个颂歌了。一九五五年出版的《悼念詹姆斯·乔埃斯》这本大书里也是充满了出色的段落。

然而早期的抒情诗也仍然是"有魅力"的，不因为诗人后来的变化而失其光彩。它们当中有这样一首：

呵，哪个新娘

呵，是哪个新娘手拿一束
白得耀眼的蓟花？
她那怕事的新郎哪能料到
他今夜会发现个啥。

比任何丈夫亲密，
比她自己还亲密，
人家不要她的贞操，
只不过施了一个诡计。

呵，谁已先我而来，姑娘，
他又怎样进的门？

——一个我没生就已死的人，
是他干了这坏事情。

只留给我一点贞操，
在你那尸体般的身上？
——没有别的可给了，丈夫
无论找古今哪个姑娘。

但我能给你好心肠，
还有一双肯干的手，
你将有我的双乳如星星，
我的身子如杨柳。

在我的唇上你会不再介意，
在我的发上你会忘记，
所有男人传下的种
曾在我处女的子宫聚集……

（一九二六）

O WHA'S THE BRIDE

O wha's the bride that cairries the bunch
O' thistles blinterin' white?
Her cuckold bridegroom little dreids
What he sall ken this nicht.

For closer than gudeman can come
And closer to'r than hessel',
Wha didna need her maidenheid
Has wrocht his purpose fell.

O wha's been here afore me, lass,
And hoo did he get in?
——*A man that deed or was I born*
This evil thing has din.

And teft, as it were on a corpse,
Your maidenheid to me?

—*Nae lass , gudeman , sin'Time began*
'S hed ony mair to gi'e.

But I can gi'e ye kindness , lad ,
And a pair o' willin' hands ,
And you sall ha'e my breists like stars ,
My limbs like willow wands .

And on my lips ye'll heed nae mair ,
And in my hair forget ,
The seed o' a' the men that in
My virgin womb ha'e met . . .

　　这诗用了古民谣的形式。从古以来，人们对新婚之夜感到神秘，诗的一开始也是气氛神秘，读者不知道究竟新郎会发现什么，所谓"诡计"又是什么。接着新夫妇问答——问是根据常理，带着男人的自大和占有欲；答得很妙，充满了女性的真挚和无私。然而一切出之以诗，最后两段写得特别美：有具体的形象，但又把肉体的事提高到"星星"和"杨柳"的境界，同时又很实际：只要两情相洽，我能以好心肠待你，又能凭双手为你干活，你又何必寻根刨底要问清那问不清的事情？ 要知道情欲是温暖而又古老的，古老得如人的开始……

深刻而又美丽，神秘而又亲切，而语言又是那样简单，那样纯朴——这是《圣经》里的雅歌和苏格兰古民歌的卓越结合。

难怪大诗人叶芝在三十年代之初编《牛津现代英诗选》的时候，发现了这首诗，感到惊讶，说："有这么好的诗，而我居然一点也不知道！"

欧　文（一八九三——一九一八）

　　维尔弗列特·欧文是死于第一次世界大战的青年知识分子，所作《奇异的会见》公认为那次战争留下的最动人诗篇之一。它主要的意思，一是战争是最大的浪费，诗人慨叹"那毁掉了的岁月，那希望的破灭……"；其次是参战双方的士兵之间是感情相通，互相怜悯的。"诗意在于所表现的怜悯"——这是欧文自己在诗集序言里写的说明，只是诗集还未出版，他就已经阵亡，一个有才能的青年诗人就这样被战争吞没了。

　　诗体是双韵式，但有些地方用了近似韵，以免机械式整齐，那样就与所写的乱糟糟的战争气氛不协调了。

奇异的会见

　　　我似乎脱离战斗，逃进了

花岗岩下一条沉闷的大坑道，

惊天动地的战争早把岩石挖通，

那里挤满了呻吟着睡觉的人，

有的苦思，有的已死，都不动弹，

等到我试着一碰，有一位跳起盯看，

呆板的眼光像是认识我又怜悯我，

他凄然举起手向我祝福；

我看他的笑，知道这是在阴森的土地，

他的笑是死的，我知道我们站在地狱里。

他的脸刻划着千种痛苦，

但没有上面人间的血污，

也没有炮弹落地或发着啸声。

"奇怪的朋友，"我说，"这里没有理由要伤心。"

"没有，"他说，"除了那毁掉了的岁月，

破灭了的希望。你希望过的一切

都曾出现于我的生活，我曾狂野地搜寻

世界上最狂野的美人，

不是静止于眼睛或秀发的美，

而有嘲笑时间跑得不快的气概。

如果有悲哀,也是此处所无的深厚悲哀。

多少人曾因我欢乐而笑,

我的悲痛也有东西留下,

但现在也得死了;我还有真话没谈,

战争的遗憾,战争所散播的遗憾。

现在人们只能满足于我们弄糟了的东西,

如果不,就闹个翻腾,然后被抛弃。

他们会敏捷,然而是母老虎的敏捷,

谁也不掉队,虽然整个民族也会后退。

我有过勇气,也感到过神秘,

我有过智慧,也掌握过技艺,

我不参加这世界的后退,

退向那无墙的虚幻堡垒;

等血流成河,阻塞了战争车轮,

我将上前用清净的井水冲洗他们,

甚至告诉他们深藏心里的真纯道理,

无保留地倾诉我精神上的秘密,

但不能通过伤口,不能面对战争的粪坑。

多少人额角不露伤口而鲜血内涌!

我是你杀死的敌人，朋友，

我暗中认识你，昨天你皱着眉头，

对着我冲来，又刺又砍，

我抵挡了，可我的手发冷，无心再战。

现在，让我们睡吧……"

STRANGE MEETING

It seemed that out of battle I escaped

Down some profound dull tunnel, long since scooped

Through granites which titanic wars had groined.

Yet also there encumbered sleepers groaned,

Too fast in thought or death to be bestirred.

Then, as I probed them, one sprang up, and stared

With piteous recognition in fixed eyes,

Lifting distressful hands as if to bless.

And by his smile, I knew that sullen hall,

By his dead smile I knew we stood in Hell.

With a thousand pains that vision's face was grained;

Yet no blood reached there from the upper gronnd,

And no guns thumped, or down the flues made
moan.

"Strange friend," I said, "here is no cause to mourn."

"None," said the other, "save the undone years,

The hopelessness. Whatever hope is yours,

Was my life also; I went hunting wild

After the wildest beauty in the world,

Which lies not calm in eyes, or braided hair,

But mocks the steady running of the hour,

And if it grieves, grieves richlier than here.

For of my glee might many men have laughed,

And of my weeping something had been left,

Which must die now. I mean the truth untold,

The pity of war, the pity war distilled.

Now men will go content with what we spoiled.

Or, discontent, boil bloody, and be spilled.

They will be swift with swiftness of the tigress.

None will break ranks, though nations trek from progress,

Courage was mine, and I had mystery,

Wisdom was mine, and I had mastery;

To miss the march of this retreating world

Into vain citadels that are not walled.

Then, when much blood had clogged their chariot-
wheels

I would go up and wash them from sweet wells,

Even with truths that lie too deep for taint.

I would have poured my spirit without stint

But not through wounds; not on the cess of war.

Foreheads of men have bled where no wounds were.

I am the enemy you killed, my friend.

I knew you in this dark; for so you frowned

Yesterday through me as you jabbed and killed.

I parried; but my hands were loath and cold.

Let us sleep now. . . "

燕卜荪（一九〇六——一九八四）

燕卜荪同中国有缘，但他不是因中国才出名的。早在他在剑桥大学读书的时候，他的才华——特别是表现在他的论文《七类晦涩》之中的——就震惊了他的老师，而他的老师不是别人，就是创立一整个文学批评学派的宗师 I. A. 理查兹。《七类晦涩》于一九三〇年出版，至今都是英美各大学研究文学的学生必读的书，而作者写书的时候还只是一个二十岁刚出头的青年。

这本书同他后来的几本著作——《田园诗的若干形式》（一九三五）、《复杂词的结构》（一九五一）、《弥尔顿的上帝》（一九六一）——都表现出一种思想上的锐气。作者在学院里度过了一生，却能突破学院的局限，不断地追求心智上的新事物。他是学者，但又有一般学者所无的特殊的敏感和想象力。这是因为，他又是一个诗人。

而且是一个奇特的诗人。他写诗不多，一九五五年出版的《合集》总共只收五十六首诗，连同注解不过一百一十九页。这些诗大部分非常难懂。人们说他追随十七世纪的玄学派，实际上他比玄学派更不易解。文字是简单的，其纯朴，其英国本色，有如《爱丽丝漫游奇境记》，但是内容涉及二十世纪的科学理论（如爱因斯坦的相对论）和二十世纪的哲学思潮（如维特根斯坦的逻辑与语言哲学），有时单独的句子是好懂的，连起来则又不知所云了。

那末，这样的诗又有什么值得一读？值得的，因为它代表了诗的一种发展。这是二十世纪的知识分子的诗，表达的是知识界关心的事物。其所以难，是因为西方现代科学、哲学的许多学说本身就不易了解，而诗人本人对它们的探索也远比一般人深（我们不要忘了他在剑桥拿了两个第一，其一是数学）。这些学说是重要的，影响到现代人的意识或世界观。但他写的又不限于抽象思维，对于现实生活里的矛盾与困惑，对于爱情，对于战争，甚至异国的战争，如中日之战，诗人也都是深有所感并吟之于诗的。在形式方面，他又严格得出奇，不仅首首整齐，脚韵排列有致，而且还有法文 Villanelle 式的结构复杂的回文诗。整个说来，他的韵律是活泼的，愉快的，朗读起来，效果更好。十分现代的内容却用了十分古典的形式，这里有一点对照，一点矛盾；但这也增加了他的诗的吸引力。有些诗人的作品一见眼明，但不耐读；燕卜荪的相反，经得起一读再读，越读越见其妙。

这类诗也构成英国诗里的新品种。燕卜荪自己说过：

> 本世纪最好的英文诗是象征式的诗，写得极好，但这类诗搞得时间太长了，今天的诗人们感到它的规则已成为一种障碍，而文学理论家一般又认为除象征式诗以外，不可能有别类的诗。[①]

实际上，可以有别类的诗，即"辩论式的诗"。燕卜荪本人写的就是这类，其中心是矛盾冲突：

> 诗人应该写那些真正使他烦恼的事，烦恼得几乎叫他

---

① 《纽约时报书评》，一九六三年九月二十二日，第39页。

发疯。……我的几首较好的诗都是以一个未解决的冲突为基础的①。

因此，他不是在做文字游戏，而是在写现代知识分子所关心的重要问题，而方式则是通过思辨和说理。例如：

> 肥皂水张力扩大了星宿，
>
> 天上反映出圣母的韶秀
>
> 迎接上帝打开更多空间。
>
> 错了！是我们在空间盘旋，
>
> 以超过光速的飞船
>
> 毁灭多少个星星宇宙，
>
> 让它们死亡不留痕迹。

——《远足》(本节引诗，皆柯大诩所译)

Soap tension the star pattern magnifies.

---

① 《威廉·燕卜荪同克里斯多弗·里克斯的谈话》，收在伊恩·汉弥尔顿编《现代诗人》一书内，伦敦，一九六八，第 186 页。

Smoothly Madonna through-assumes the skies
Whose vaults are opened to achieve the Lord.
No, it is we soaring explore galaxies,
Our bullet boat light's speed by thousands flies.
Who moves so among stars their frame unties;
See where they blur, and die, and are outsoared.

同样，他的警句也不是仅仅展示机智，而是包含着对人生意义的领悟的：

> 一切人类依之生存的伟大梦想，
> 不过是幻灯投射到地狱黑烟上。
> 什么是真正实在？
> 手绘的玻璃一块。

All those large dreams by which men long live well
Are magic-lanterned on the smoke of hell;
This then is real, I have implied,
A painted, small, transparent slide.

或者是这样一种在前途茫茫中的悲壮的决心：

> 还是和我一起在盼待一个奇迹，
> （不管它来自魔鬼还是神祇），
> 　找那不可能的东西，
> 　绝望中练一身技艺。

——《最后的痛苦》

> Imagine, then, by miracle, with me,
> (Ambiguous gifts, as what gods give must be)
> 　What could not possibly be there,
> 　And learn a style from a despair.

　　实际上不止是"技艺"，因为还有对人的关切。他是一个外表冷静而内心非常热烈的人。东方吸引了他：他在日本和中国都教过书，特别是中国，两度居留，一共七年（一九三七——一九三九，一九四六——一九五一），教书极为认真负责，造就了一大批英国文学研究者和许多诗人，见证了中国的抗日战争、解放战争时期的大学气氛和解放后的新气象（在人民共和国成立之初，庆祝十一和五一的游行队伍里有着他们夫妇），而且把他的感想写进了诗，其中包括一首题为《中国》的短诗，一个取自李季《王贵与李香香》的片断的翻译，和他的唯一的长诗《南岳之秋》。战时设在湖南南岳的西南联大文学院的师生的生活是非常艰苦的，但是他过得很愉快，这首长诗忠实地传达了他的印象和感想，当中包括了幽默、疑问和自我嘲讽，而主调则是愉快；他的轻松的口气和活泼的节奏加强了这一效果。这愉快不仅表明他在南岳"有极好的友伴"（如他自己所说），而且用一种诗歌手段传达了他对于中国人民前途的信心。

奥　登（一九〇七——一九七三）

　　奥登登上诗坛之初，年纪很轻，还在牛津大学上学，而且是同另外三位牛津诗人——赛息尔·台·刘易士、路易士·麦克尼斯、斯蒂芬·司班德——一起出现，成为艾略特等之后的"奥登一代"。他们在政治观点上是左的，反法西斯，支持同佛朗哥作战的西班牙共和政府；在题材上是城市性或工业性的，诗中经常出现"高压线塔"、"涡轮机"、"仪表"等字样；在语言上有时用一种只有他们自己懂的"隐秘语言"，其实是大学生之间的游戏。总之，他们受艾略特、庞德的现代主义的影响而又想表现不同，由于内容和语言上都有一种锐气，宛如一个新的英雄时代来临，就连大诗人叶芝在编写《牛津现代诗选》的时候也收进了他们的作品，并自认不如。

这当中，奥登的成就更加引人注目。他比另外三人内容上更广更深（在一般的左派政治意识之上还加了弗洛伊德的心理分析），写法上更俏皮（回头走拜伦甚至蒲柏的路），各种诗体掌握得更纯熟（从十四行到诗剧又到《夜邮》那样的电影解说诗），因而其诗作有一种更加爽朗的现代面目，其风格的特色十分明显：

　　　农家的河没受到时髦码头的诱惑

　　　　　　　　　（本文引诗皆查良铮所译）

The peasant river was untempted by the fashionable
　　quays;

　　　他的躯体的各省都叛变了

The provinces of his body revolted,

　　　当所有用以报告消息的工具
　　　一齐证实了我们的敌人的胜利

When all the apparatus of report

Confirms the triumph of our enemies;

从心灵的一片沙漠

让治疗的泉水来喷射

在他岁月的监狱里

教给自由人如何赞誉。

In the deserts of the heart

Let the healing fountain start,

In the prison of his days

Teach the free man how to praise.

他能把实物写成一种品质，有时像十八世纪诗人那样用人格化的抽象名词，如"邪恶"、"孤立"、"岁月的监狱"之类，然而所传达的却是一种现代思想的概括，形象和气氛更纯然是现代的，带有现代的明快，也带有现代的焦灼。即使观看几百年前的绘画，他抒发的也是现代敏感，可以《美术馆》一诗为例：

关于痛苦他们总是很清楚的，

这些古典画家：他们深知它在

人心中的地位；深知痛苦会产生，

当别人在吃，在开窗，或作着

无聊的散步的时候；

深知当老年人热烈地、虔敬地等候

神异的降生时，总会有些孩子

并不特别想要它出现，而却在

树林边沿的池塘上溜着冰。

他们从不忘记：

即使悲惨的殉道也终归会完结

在一个角落，乱糟糟的地方，

在那里狗继续着狗的生涯，

　　而迫害者的马

把无知的臀部在树上摩擦。

在勃鲁盖尔的"伊卡鲁斯"①里，比如说：

一切是多么安闲地从那桩灾难转过脸；

农夫或许听到了堕水的声音

---

① 勃鲁盖尔（一五二五————一五六九），尼德兰画家，油画《伊卡鲁斯》为其名作。"伊卡鲁斯"是希腊神话中的人物，他和他的父亲自制翅膀飞离克里特岛，在飞近太阳时，他的翅膀由于是用蜡粘住的，融化了，他也跌落海中死去。诗中描写的景色大多是勃鲁盖尔画中所有的。

和那绝望的呼喊，

但对于他，那不是了不得的失败；

太阳依旧照着白腿落进绿波里；

那华贵而精巧的船必曾看见

一件怪事，从天上掉下一个男童，

但它有某地要去，仍静静地航行。

About suffering they were never wrong,

The Old Masters:how well they understood

Its human position; how it takes place

While someone else is eating or opening a window or

  just walking dully along;

How, when the aged are reverently, passionately

  waiting

For the miraculous birth,there always must be

Children who did not specially want it to happen,

  skating

On a pond at the edge of the wood:

They never forgot

That even the dreadful martyrdom must run its
course

Anyhow in a corner,some untidy spot

Where the dogs go on with their doggy life and the
torturer's horse

Scratches its innocent behind on a tree.

In Brueghel's Icarus, for instance: how everything
turns away

Quite leisurely from the disaster;the ploughman may

Have heard the splash,the forsaken cry,

But for him it was not an important failure;the sun
shone

As it had to on the white legs disappearing into the
green

Water;and the expensive delicate ship that must have
seen

Something amazing,a boy falling out of the sky,

Had somewhere to get to and sailed calmly on.

对于勃鲁盖尔，人们欣赏的是他的风俗写实，是他对画中人物（特别是农民）的嘲讽笔触，而奥登却着重这位古典画家对于人生痛苦的了解之深，这就是一种现代看法。他又指出画中的村民眼看别人遭难而无动于衷，"安闲地从那桩灾难转过脸"，这是现代笔法，用"安闲"字样更加衬托出这一边有人死亡一边别人照常过着日子的人生处境——一种存在主义式的无可摆脱的处境。

　　过去也有不少中外诗人以诗咏画，但这种敏感，这种讽刺性的对照却只产生于这个多灾多难，但又复杂、矛盾的二十世纪。

　　奥登的诗还有一种戏剧性，因此描写大的变动——如战争——就十分出色。《西班牙》之所以传诵一时，就是因为奥登始终抓住了戏剧性的对照：昨天与今天，今天与明天，广场与陋室，城市与渔岛，苦难与希望，希望与希望的实现：

　　　　明天，对年轻人是：诗人们像炸弹爆炸，
　　　湖边散步和深深交感的冬天；
　　　　　明天是自行车竞赛，
　　　穿过夏日黄昏的郊野。但今天是斗争。

今天是死亡的机会不可免地增加，
是自觉地承担一场杀伤的罪行；
　　今天是把精力花费在
乏味而短命的小册子和腻人的会议上。

Tomorrow, for the young, the poets exploding like
　　bombs,
The walks by the lake, the winter of perfect com-
　　munion;
　　　　Tomorrow the bicycle races
Through the suburbs on tummer evenings: but today
　　the struggle.

Today the inevitable increase in the chances of death;
The conscious acceptance of guilt in the fact of murder;
　　　　Today the expending of powers
On the flat ephemeral pamphlet and the boring meeting.

回旋式地不断对照，诗的形式也舒卷而前，无取于优雅的然而也能变成打油腔的脚韵，而恢复了古英语诗的重读音，恢复了英雄气概，同时又通过现代的形象——"诗人们像炸弹爆炸"、"乏味而短命的小册子"、"腻人的会议"——表示这是此时此地、二十世纪三十年代西班牙战场上的产物。

奥登也用同样的戏剧性、同样的对照、同样的现实感来写中国人民的抗日战争。他同小说家依修乌德于一九三八年来到武汉，并去前线访问。奥登用诗、依修乌德用散文写下了他们在中国战场上的见闻，合作而成《战地行》一书，很快在一九三九年出版。这可不是一本"乏味而短命的小册子"，不是应景之作，两人最好的部分篇章就在此中。

只不过，这一次奥登用了十四行诗的形式。以"战时"为总题，一共写了二十三首。这一组十四行诗应该说是替二十世纪英国诗放了异彩。以第十八首为例：

> 他被使用在远离文化中心的地方，
> 又被他的将军和他的虱子所遗弃，
> 于是在一件棉袄里他闭上眼睛
> 而离开人世。人家不会把他提起。

当这场战役被整理成书的时候，

没有重要的知识在他的头壳里丧失。

他的玩笑是陈腐的，他沉闷如战时，

他的名字和模样都将永远消逝。

他不知善，不择善，却教育了我们，

并且像逗点一样加添上意义；

他在中国变为尘土，以便在他日

我们的女儿得以热爱这人间，

不再为狗所凌辱；也为了使有山、

有水、有房屋的地方，也能有人烟。

Far from the heart of culture he was used：

Abandoned by his general and his lice，

Under a padded quilt he closed his eyes

And vanished. He will not be introduced

When this campaign is tidied into books：

No vital knowledge perished in his skull；

His jokes were stale; like wartime, he was dull;
His name is lost for ever like his looks.

He neither knew nor chose the Good, but taught us,
And added meaning like a comma, when
He turned to dust in China that our daughters
Be fit to love the earth, and not again
Disgraced before the dogs; that, where are waters,
Mountains and houses, may be also men.

它表现了一个英国青年诗人对普通中国士兵的深切同情，而且他充分理解他们"在中国变为尘土"，是为了"他日我们的女儿得以热爱这人间，不再为狗所凌辱"。这是用现代技巧写的现代内容的诗。无怪乎好几个中国青年诗人，呼吸着同样的战争气氛，实践着同样的诗歌革新，对于那时的奥登之作是十分倾心的，而且保持了这种感情，直到今天。

然而奥登自己，人和诗，却变了。一九三九年欧洲战场尚未大打，这位原来不怕到世界任何地方去面对任何战争的奥登，却离开战争中的英国去了美国。此后他仍有佳作，如《新年家信》。但是随着他越来越转向宗教题材，他的诗也逐渐失去了真正的光彩。技巧仍然是纯熟的，甚至写清早上厕所都俏皮可诵，然而缺少令人心折之作了；不但如此，奥登还对自己过去的某些作品产生了异常的反感，例如《西班牙》一诗他就不肯收入全集，也不许别人收在选本里。何决绝乃尔！自然，也有人喜欢他的后期作品，听说近来它们的影响还更大了；然而对于曾经眼见一个新的英雄时代像是就要在英国诗坛上出现的过来人来说，奥登的前期作品是没有任何东西可以代替的。

司班德(一九〇九——一九九五)

　　司班德曾是所谓"奥登一代"中的一人,在牛津大学上学时期就以写诗出名,第二次世界大战前后写下了一些著名诗篇,主要是记录经济大萧条时期英国工人失业的凄惨情况和青年知识分子对共产主义社会的向往,名句如:

> 他们懒懒地站在街口,
>
> 看见朋友耸一耸肩头,
>
> 又把口袋朝外一翻,
>
> 表示了穷人不在乎难堪。

《一个城市的陷落》也是他的一首优秀作品。这里提到了拉尔夫·福克斯和加西亚·洛尔卡的名字，两个在西班牙的斗争中牺牲的优秀作家。城市陷落了，斗争失败了，眼看着压迫与愚昧重来：

> 农民跟着驴子的呼叫声
> 重又唱起结巴的歌

> The peasant relapses to a stumbling tune
> Following the donkey's bray

然而那战斗的岁月留下了"火花"，将在未来一代的心上产生影响。这样，诗就成功地传达了那个同法西斯作殊死战斗的时代的气氛。

但是后来他写诗少了，好诗更不多见。其实，就在他最好的作品里，也似乎深度不足，缺乏一点余音。

R. S. 托马斯(一九一三——二〇〇〇)

威尔士是英国的偏僻地区,有独特的语言、文化,属于凯尔特(Celtic)传统。它的现、当代作家之中,有好几位托马斯。 最有名的大概是狄兰·托马斯,在四五十年代他的诗很流行,后来他又写短篇小说和广播剧,也都拥有不少读者、听众。第二位是格文·托马斯,写过好几部长篇小说,如《一切都背弃你》,也有名望。这里要谈的是另一位,他名叫伦奈特·司图亚特·托马斯,一九一三年生于威尔士的加迪夫地方,一九三六年成为威尔士教会的教士,一生在威尔士农村度过,接触最多的是乡下孤独的农民,他的最好的诗也是写他们的。

他写农民的简朴的、往往又是艰苦的生活。 他们沉默,寂寞,但有强烈的感情,包括下一代人对上一代的强烈怨恨,如

表现在这样一首诗里的:

> 这是痛苦的风景。
>
> 这儿搞的是野蛮的农业。
>
> 每个农庄有它的祖父祖母,
>
> 扭曲多节的手抓住了支票本,
>
> 像在慢慢拉紧
>
> 套在颈上的胎盘。
>
> 每逢有朋友来家,
>
> 老年人独占了谈话。孩子们
>
> 在厨房里听着;他们迎着黎明
>
> 大步走在田野,忍着气愤
>
> 等待有人死去,一想起这些人
>
> 他们就像对所耕种的土壤那样
>
> 充满了怨恨。在田埂的水沟里
>
> 他们看自己的面容越来越苍老,
>
> 一边听着鹪乌的可怕的伴唱,
>
> 而歌声对他们的允诺却是爱。
>
> ——《佃户们》

184

This is pain's landscape.

A savage agriculture is practised

Here; every farm has its

Grandfather of grandmother, gnarled hands

On the cheque-book, a long, slow

Pull on the placenta about the neck.

Old lips monopolise the talk

When a friend calls. The children listen

From the kitchen; the children march

With angry patience against the dawn.

They are waiting for someone to die

Whose name is as bitter as the soil

They handle. In clear pools

In the furrows they watch themselves grow old

To the terrible accompaniment of the song

Of the blackbird, that promises them love.

很少有人写农村生活如此真实：土壤贫瘠，家长统治，子孙们
为上辈终年劳累，像是佃户，因此盼他们早死。这不是田园

诗，而是世态图。结句带有讽刺，因为在这种严苛的环境里缺少的就是爱。

他的诗艺是素朴、严谨的，从来没有多余的话；形式也是完整的，古老的，但不是文绉绉的古老，而是在农民口上传诵了多少世代的民间艺术的古老；而在素朴与古老之下，他又能不受传统的束缚，在诗艺上进行了许多试验，如追求霍甫金斯式的"跳跃节奏"，如某些特殊的比喻和对照手法：

　　　住在威尔士就会觉察

　　　黄昏时天空发狂，

　　　如有鲜血泼洒

　　　　　　　　　——《威尔士风光》

　　　To live in Wales is to be conscious

　　　At dusk of the spilled blood

　　　That went to the making of the wild sky

他最动人的一点是极具体的细节和极高远的玄思的结合。没有人能写威尔士农村的人和物比他更具体——有时他还用勃鲁盖尔（Pieter Bruegel the Eldor）式的嘲讽，他爱农民，但不讳言他们的愚昧和落后——但同时也没有人能像他那样小中见大，例如见于《农村》一诗的：

谈不上街道，房子太少了，
只有一条小道
从唯一的酒店到唯一的铺子，
再不前进，消失在山顶。

山也不高，侵蚀着它的
是多年积累的绿色波涛，
草不断生长，越来越接近
这过去时间的最后据点。

很少发生什么；一条黑狗
在阳光里咬跳蚤就算是
历史大事。倒是有姑娘
挨门走过，她那速度
超过这平淡日子两重尺寸。

那么停住吧，村子，因为围绕着你

慢慢转动着一整个世界，

辽阔而富于意义，不亚于伟大的

柏拉图孤寂心灵的任何构想。

Scarcely a street, too few houses

To merit the title; just a way between

The one tavern and the one shop

That leads nowhere and fails at the top

Of the short hill, eaten away

By long erosion of the green tide

Of grass creeping perpetually nearer

This last outpost of time past.

So little happens; the black dog

Cracking his fleas in the hot sun

Is history. Yet the girl who crosses

From door to door moves to a scale

Beyond the bland day's two dimensions.

Stay, then, village, for round you spins
On slow axis a world as vast
And meaningful as any poised
By great Plato's solitary mind.

前面写实况，也是一点没有美化，然而跟随着那姑娘来了青春活力——"她那速度超过这平淡日子两重尺寸"——于是进入一个更大的空间，既是实在的，又是想象的，"不亚于伟大的柏拉图孤寂心灵的任何构想"，这就是"小中见大"。

因此这些写几乎被人遗忘的农村的小诗读起来一点也不单调，而是充满了激情和戏剧性，经得起多次咀嚼的。

当代的英国诗坛虽然人才众多，但显得过分城市化，色调有点灰——要不然就是像泰特·休斯那种猛禽似的黑色——只有 R. S. 托马斯像一块白石那样，经过了时间的冲刷而更坚硬又更玲珑了。

拉 金（一九二二——一九八五）

　　拉金是第二次世界大战以后涌现出来的优秀诗人。许多评论者认为，五十年代以来英国出了两个大诗人，一个是泰特·休斯，一个就是拉金。

　　他上过牛津大学圣约翰学院，同学中有金斯莱·艾米斯和约翰·韦恩。这两人都是所谓"愤怒的年轻人"，以写小说著名，但也写过诗，而在诗艺上视拉金为长兄。这些人合起来，成为一个名叫"运动"的诗派，在五十年代有点声势。

　　拉金成名于"福利国家"时期，他的同伴对政治有幻灭感，他自己对它也无特别的热情，但关心社会生活的格调，喜欢冷眼观察世态，而在技巧上则一反流行于五十年代之初的迪兰·托马斯等人的浪漫化倾向，务求写得具体、准确。这两点——

社会观察的细致和写法上的反浪漫化——使他成为一个很好的世态记录者。

　　以他最有名的诗篇《降灵节婚礼》为例，他写铁路沿线的英国情况，着墨不多，而英国的病态历历在目：

　　　　　浮着工业废品的运河，
　　　　　……
　　　　　没有风格的新城，
　　　　　用整片的废汽车来迎接我们。

　　　　　Canals with floatings of industrial froth;
　　　　　...
　　　　　Until the next town, new and nondescript,
　　　　　Approached with acres of dismantled cars.

而人物呢？

　　　　　车子驶过一些笑着的亮发姑娘，
　　　　　她们学着时髦，高跟鞋又加面纱，

怯生生地站在月台上，瞧着我们离开。

We passed them, grinning and pomaded, girls

In parodies of fashion, heels and veils,

All posed irresolutely, watching us go,

这是新娘们。她们的家属则是：

穿套装的父亲，腰系一根宽皮带，

额角上全是皱纹；爱嚷嚷的胖母亲；

大声说着脏话的舅舅

The fathers with broad belts under their suits

And seamy foreheads; mothers loud and fat;

An uncle shouting smut

对于这样一些人组成的战后英国社会，诗人当然是提不起什么兴致的。因此他的语言也是平淡的，闲话式的，他的韵律也是低调的，有嘲讽式的倒顶点，而无高昂的咏叹调。

拉金的笔下几乎不见一片绿叶，不是他不爱田园，而是他知道这一切"在消失中"（这正是他的一首诗的题目），他眼见即将来临的命运是：

> 这样，英格兰也就消失，
>
> 连同树影，草地，小巷，
>
> 连同市政厅，雕花的教堂唱诗台；
>
> 会有一些书收进画廊传世，
>
> 但是对于我们这一帮，
>
> 只留下混凝土和车胎。

> And that will be England gone,
>
> The shadows, the meadows, the lanes,
>
> The guildhalls, the carved choirs.
>
> There'll be books; it will linger on
>
> In galleries; but all that remains
>
> For us will be concrets and tyres.

没有掩饰，没有原谅，没有迁就，这就是当代的英国写照，这也是真正的当代英语诗。

这样的诗，还有读头么？ 华兹华斯的恬淡何在？ 雪莱的激情何在？ 济慈的乐歌何在？ 整个英国诗的优美的抒情传统又何在？

拉金的成功正在于：在浪漫派的感情泛滥之后，在现代派的技巧与理论泛滥之后，在奥登一代的政治热情膨胀之后，特别是在狄兰·托马斯的狂歌之后，他能头脑冷静地从写实入手，用一种硬朗的机智建立了一代新的英国诗风。

因为他不仅深有所感，而且很会写诗。他老练而又善于创新。老练在于他对于形式的驾驭。他的所有诗篇都是形式完整，层次分明的。又在于他对于口语体的掌握，几乎全用闲谈语气，然而又精练，简洁。他也继承了现代派诗对于形象和具体场景的关注，以至写出了这样的传神之笔：

无帽可脱，我摘下

裤腿上的自行车夹子，不自然地表示敬重。

Hatless, I take off

My cycle-clips in awkward reverence,

但是他又不炫新奇，坚韧地走自己的路，力求写得真实，写得准确，同时又注意气氛、联想、余音，避免照相式的写实。因此，他虽写的是有点灰色的当代英国社会，他的诗却不是灰色的。人们倒是发现：他的诗里有一种新的品质，即心智和感情上的诚实。《上教堂》就是一例。它写出了二十世纪中叶英国青年知识分子对宗教的看法：并不重视，认为教堂将为时间所淘汰，但最后却来了这么一段自白：

> 说真的，虽然我不知道
> 这发霉臭的大仓库有多少价值，
> 我倒是喜欢在寂静中站在这里。

> For, though I've no idea
> What this accoutred frowsty barn is worth,
> It pleases me to stand in silence here

原因是：人有一种饥饿，要求生活中有点严肃的东西。这就是诚实。表现上的准确也是一种诚实，拉金的技巧是与拉金的内容一致的。而准确是一种当代品质，科学技术要求准确；准确也是一种新的美：运算的准确，设计的准确，施工的准确，都是美的。就诗而论，在多年的象征和咏叹之后，来了一位用闲谈口气准确地写出五十年代中叶英国的风景、人物和情感气候的诗人，是一个大的转变。也许可以说：拉金和他的诗友们做了一件早就该做的事，那就是：以不同于美国诗的方式写出了一种新的英国诗，这样也就结束了从二十年代起就开始树立于英国诗坛的现代主义统治。

琼 生 (一五七三——一六三七)

十七世纪前半叶是英诗一个盛期，除了一大批写诗剧的人以外，还有玄学派、骑士派、弥尔顿和琼生。

琼生写了不少好诗剧，在当时名气超过莎士比亚。他曾受过古典文学教育，不像莎士比亚那样"不甚懂拉丁文，更谈不上希腊文"，但他又当过兵，做过泥水匠，浪迹江湖，对伦敦市井人物很熟悉。影响及于创作，他的诗剧结构谨严，而又颇有生气。

他的诗也有传世之作，如《给西丽雅》：

你就只用你的眼睛来给我干杯，

我就用我的眼睛来相酬；

　　或者就留下一个亲吻在杯边上，

　　　　我就不会向杯里找酒。

（卞之琳译文）

Drink to me only with thine eyes,

　　And I will pledge with mine;

Or leave a kiss but in the cup,

　　And I'll not look for wine.

情诗而写得如此典雅，又如此别致，无怪得到历代读者的喜爱。这首诗早已谱成歌曲，演唱至今不绝。

　　最近的趋势似乎是他的诗才受到更大重视。英美几种新的有影响的选本（如海伦·迦特纳主编的《牛津英诗选》）选用他的诗作，无论在类别和数量上都比以前同类选本要多。

　　但是长时期以来，由于他的诗里没有感情泛滥，也不过甚其词，喜欢十九世纪浪漫派的人不甚看重他。其实，读多了奔放的咏叹调，再来看看琼生之作，就会感到他的节制和机智是文明的品质。

　　最近看了他的一首小诗，就以它为例吧：

规　模

长得像大树一样粗壮，

未必会使人长出高尚；

耸立了三百年的橡树，

到头来只剩下枯枝。

只在五月开一天的百合，

尽管当夜就萎缩，

开着时可无比鲜艳，

不愧是光明的花仙。

规模小，美貌才好细端详，

时间短，生命才过得圆满。

PROPORTION

It is not growing like a tree

In bulk, doth make man better be;

Or standing long an Oak, three hundred years,

To fall a log at last, dry, bald, and sear:

A Lily of a Day,

Is fairer far, in May,

Although it fall, and die that night;

It was the Plant, and flower of light.

In small proportions, we just beauty see:

And in short measures, life may perfect be.

这里用了双韵体,一共五韵十句,可以分成三节:一二两节各有一个比喻(树、花),第三节是小结,有点哲理(小才美,短促才圆满),也有点科学(规模就是一种科学概念),写法上干净利落,但又毫不枯燥,树和花带来大自然的生气,美貌和生命又是人们关怀的,诗里的几个对照又使读时要用头脑想想,因此诗虽短,但经得起琢磨,音韵也是和谐而有变化,最后读者得到了满足,在情感上,也在美感上。

琼生的声音显然不同于马洛或莎士比亚的声音。英国诗同中国诗一样,是一个能用许多不同声音来向我们吐诉的歌者。古典主义的雅乐是可以同浪漫主义的放歌一样动人的。

兰　陀(一七七五——一八六四)

　　如果说琼生是一个古典主义者，那么兰陀就只能算是后古典主义者了。

　　他生活在风云激荡的十九世纪初年，却向往希腊式的宁静。有几首小诗足以表现他的这种心情。

为什么

为什么欢乐总不停留，

而让忧愁占据心头？

我答不了。自然传下了话：

听话！人也就听了话。

我眼见了，却不懂为什么，

那玫瑰刺存而花落。

WHY

Why do our joys depart

For cares to seize the heart?

I know not. Nature says,

Obey; and Man obeys.

I see, and know not why,

Thorns live and roses die.

谈死亡

死亡高站我的身后，低下脸

　　对我的耳朵念念有词，

它那奇特的语言我只懂一点：

　　其中无一个怕字。

ON DEATH

Death stands above me, whispering low

　　I know not what into my ear：

Of his strange language all I know

    Is, there is not a word of fear.

七五生辰有感

不与人争,也无人值得我争,

    爱的是自然,其次是艺术。

生命之火前我把双手烤烘,

    火焰低落了,我准备离去。

ON HIS SEVENTY-FIFTH BIRTHDAY

I strove with none, for none was worth my strife,

    Nature I loved, and next to Nature, Art;

I warmed both hands before the fire of life,

    It sinks, and I am ready to depart.

    诗是写得整洁、隽永,值得回味。但据说老先生在实际生活里不仅喜与人争,而且火气颇大。其实,诗里也有透露:"无人值得我争",口气仍是骄傲的。

莫里斯（一八三四——一八九六）

　　威廉·莫里斯是巨人。在十九世纪后半叶的英国，他一身而兼北欧古语言学者，诗人，小说家，翻译家，家具制作者，室内装饰家，书法家，印刷字体设计者，特殊精装本出版者，社会主义活动家。而且不管什么行业，几乎凡他手指所触，都造就第一流的成绩。以诗而论，主要作品之一《地上乐园》（一八六八——一八七〇）就是长达四卷的巨制。这当中，抒发情感，描写风物，讲述故事，无一不精，就连卷首那段"歉词"，也为人引用至今，半因其措词洒脱，半因其韵律带有漫游中古欧洲的行吟者的余音：

　　　　我无法歌唱天堂或地狱，

我无法减轻压在你心头的恐惧，

无法驱除那迅将来临的死神，

无法招回那过去岁月的欢乐，

我的诗无法使你忘却伤心的往事，

无法使你对未来重新生起希望，

我只是个空虚时代的无用诗人。

(朱次榴译文)

Of Heaven or Hell I have no power to sing,

I cannot ease the burden of your fears,

Or make quick-coming death a little thing,

Or bring again the pleasure of past years,

Nor for my words shall ye forget your tears,

Or hope again for ought that I can say,

The idle singer of an empty day...

事实上，这位诗人一点也不是"无用"的。他关心实际，而且随着时间的推移，越来越多地参加各种活动，大量的文艺创作和工艺制作之外，又卷入了政治斗争。一开头是自由主义民主派，从一八八三年起又变成社会主义者，一八八五年第一次因政治活动被捕，一八八七年"血腥的礼拜天"事件中他同失业工人并肩游行，遭到警察镇压，幸免于难。

他的诗歌创作也有相应的发展。

前期，他主要写叙事诗，神往于中古的英雄美人，成名之作《为吉尼维亚辩护及其他》（一八五八）写的是亚瑟王的王后同他部下一个武士恋爱的历史故事；接着而来的《地上乐园》是古代故事和中古传奇的大合集，一共二十四篇，而在故事与故事之间作为插曲的每个月份的赞歌则是优美的抒情诗。稍后，他又出版了《西格特与尼布龙根族的败亡》（一八七七），诗风一变，用古朴、刚劲的句子写北欧英雄的悲壮故事，叙事艺术达到了新的高度。

后期，他主要写以工人斗争为主要题材的短诗，如《为社会主义者唱的歌》（一八八四——一八八五），其中不少是在街头游行示威或与警察冲突后立即下笔的，笔锋还带着热腾腾的斗争气息。也有用中古民歌为底本的仿作，如《我的与你的》：

世乱盖源于两字，

无非你我各为私。

Two words about the world we see,

And nought but Mine and Thine they be.

所宣传的仍然是社会主义的道理。在这等地方,莫里斯继承了
宪章派诗歌的传统,但克服了他们的标语口号化,由于他诗才
更高,更会运用语言,特别在韵律方面远比他们丰富而多变
化。即使他写失败,写死亡,气氛也是悲壮而不凄惨:

> 是谁在行进──从西向东来到此地?
>
> 是谁的队伍迈着严峻缓慢的脚步?
>
> 是我们,抬着富人送回来的信息──
>
> 人家叫他们醒悟,他们却如此答复。
>
> 别说杀一人,杀一千一万也杀不绝,
>
> 杀不绝,就别想把白昼之光扑灭。
>
> ──《死之歌》(飞白译文)

What cometh here from west to east, awending?

And who are these, the marchers stern and slow?

We bear the message that the rich are sending

207

Aback to those who bade them wake and know.

Not one, not one, nor thousands must they slay,

But one and all if they would dusk the day.

　　除了短诗，后期也有一个较大作品，即一千二百行的长诗《希望的香客》（一八八六），主题是巴黎公社的斗争。在当时的著名诗人中，没有另一个曾花这样的大力，用这样多的篇幅去写巴黎公社。在艺术上，此诗也有特色，仍然是两行一韵的双韵体，但是每行长达十四五个音节，有一种奔腾向前的气势，语言则是略带古朴的口语体，素净而亲切，写得实在，又写得充满激情：

　　　　这样一天一天过去，

　　　　我变得忧郁，沉思，于是有一个晚上，

　　　　我们坐在炉旁拉杂而谈，

　　　　但主要是谈战争以及战争会带来的种种，

　　　　因为巴黎已接近陷落，各种希望油然而生，

　　　　在我们信共产主义的人中间；我们谈到了该做的事，

　　　　当德国人走了，在疮痍满目的法兰西，

只剩下两类人对立:叛卖者和被叛卖者。

那盼望已久的日子终于降临巴黎:邪恶的侏儒发狂,

举刀一砍,想要摧毁巴黎,却不料刀断人亡;

巴黎自由了,城里再无敌人和白痴,

而今天的巴黎,明天会变成全部法兰西。

我们听到了,我们的心在说:"不消多久,整个地

  球……"

终于来了那盼而又盼的一天,我知道了生命的价值,

因为我看到了从未见过的景象——整个民族人人欢欣,

我这才知道我们常说的未来前景,

自己曾在悲伤和痛苦里宣传过的,但心里也曾怀疑,

不知道这是产生于对当今的绝望还是对将来的希

  冀——

而现在我亲眼看到了,实实在在,就在身边。

Thus passed day after day,

And grieved I grew, and I pondered: till at last one

  eve we sat

In the fire-lit room together, and talked of this and
    that,

But chiefly indeed of the war and what would come
    of it:

For Paris drew near to its fall, and wild hopes gan to flit

Amidst us communist folk; and we talked of what
    might be done

When the Germans had gone their ways and the two
    were left alone,

Betrayers and betrayed in war-worn wasted France.

In Paris the day of days had betid; for the vile
    dwarf's stroke,

To madden Paris and crush her, had been struck and
    the dull sword broke;

There was now no foe and no fool in the city, and
    Paris was free;

And e'en as she is this morning, tomorrow all France
    will be.

We heard, and our hearts were saying,

"In a little while all the earth—"

And that day at last of all days I knew what life was
worth;

For I saw what few have beheld, a folk with all hearts
gay.

Then at last I knew indeed that our word of the
coming day,

That so oft in grief and in sorrow

I had preached, and scarcely knew

If it was but despair of the present or the hope of the
day that was due—

I say that I saw it now, real solid and at hand.

可惜的是，这首诗没有最后完成，有些地方还需加工。

但是不论前后期，有一些东西又是贯穿始终的。莫里斯自称是"梦幻者"，但他梦的是一个能够产生真正艺术品的安乐而有创造性的社会。他在牛津上学的时候，受到老师罗斯金的影响，后来又参加了先拉斐尔兄弟会的活动，曾经研究十四世纪的教堂建筑，为它们的朴实坚固而又很美的石工所吸引。他发现中古的日常用品也是既耐用，在造型上又很美。回头来看十九世纪下半叶的英国，则环境恶化了，日常用品质地单薄、造型庸俗，建筑和建筑的内部装饰都表现出低级趣味。他不明白：为什么同样是一个匠人，在十四世纪能创造美的物品，到了十九世纪就不能？在读了马克思的《资本论》之后，莫里斯找到了一个答案，那就是：因为现代工人是雇佣劳动者，受资本家的剥削，劳动只是一种苦役，从中得不到愉快，哪里谈得上尽心去创造美？他提出过一个有名的定义，说"艺术者，人在劳动中的愉快之表现也"（《人民的艺术》，一八一九）。同时，他认为艺术制成品应对全社会有用，要使人们在使用中感到愉快。他也曾想凭几个人的努力去同商业化的工艺制作抗衡，为此组织了一个公司，自己动手来设计和制作墙纸、挂毯、纺织品、家具等等，得到了很大成功，但是很快他的图案为资本家的工厂模仿了，在模仿的过程中又庸俗化了。所以最后他断定了一点，即必须改革整个社会制度，才能有真正的艺术。他追求的是美，而结果找到了社会主义。这是发展，也是延续，前后是一贯的。

而他所谓的美，也不是那种娇弱的阴柔之美——尽管他初期诗作里的花月描写也是十分出色的——而是一种北欧勇士式的阳刚之美:高大,英挺,勇敢,坚决,有至死不改的信念,又有动手干实事的本领。

他崇拜十四世纪的汉子与北方森林和海边的英雄,都因为他们是这种抗拒命运的不屈者;而到了十九世纪末期,他看到的人似乎都缩小了,软化了,只在斗争的队伍里,在伦敦街头的示威者、巴黎公社中的战士之间,还寻得着一代新的英雄。其实,他自己就是一个昂藏六尺的大丈夫,美髯公,行动敏捷,目光如炬。他的工作、斗争和人品赢得了萧伯纳那样一个不轻易赞许别人的激进改革家的衷心佩服;十九世纪八十年代后期,青年的萧伯纳曾同他一起在伦敦街头游行;十年以后莫里斯逝世了,萧作了这样的悼词:

　　　　一想起莫里斯,我就满心愉快。我同他的交往使我完全满意;如果再有所求的话,那就是太不知道感激了。他虽死犹生;只有你自己死了,才会真正失去他。在此之前,让我们庆幸能有他的存在吧。

格瑞夫斯（一八九五——一九八五）

格瑞夫斯生于一八九五年，参加过第一次世界大战，写过一本有名的回忆录《告别那一切》，翻译过古典文学作品（如阿比里厄斯的《金驴》），担任过牛津大学五年一任的诗歌教授，但他用力最勤的是写诗，从二十年代一直写到现在，经过许多诗歌流派的起落，他始终写传统形式的诗。当现代派盛行之际，他曾受到冷落；如今现代派过去了，他继续受到一部分读者的赞赏。

像叶芝一样，他有他的神话系统，其中心人物是白色女神，她代表爱情，是一个危险而又能起奇妙作用的人物，使得生活丰满而有色彩，使诗歌增加魅力。《镜中的脸》一诗最后一行里的"皇后"就是指的白色女神。

当然，不知道这一点，人们照样可以欣赏诗——有时候，过多的象征反而损坏了诗。格瑞夫斯的特点，一是他的诗不晦涩，二是他放得开，几乎什么都能入诗，而贯穿他全部创作生涯的是对于形式的注重，所写的一切作品都是形式完整，在韵律上颇见匠心的。

他也开辟了新的题材，例如：

波斯人的说法

爱好真理的波斯人不多谈

在马拉松打的小小前哨战。

至于希腊人夸张的传说，

把那个夏天的一次搜索，

一次武装的侦察行动，

不过用了三旅步兵一旅骑军，

（作为他们左翼的支援，

只从大舰队抽出了几条老式小船）

把这些说成是对希腊的大举侵略

而且陷于大败——他们认为不值一驳；

偶然提起了，他们不承认

希腊人说的主要几点,只着重

那是一次有益的练兵,

给波斯皇帝和民族带来了英名,

面对坚强的防御和不利的气候,

诸兵种协同作战,形成了百川汇流!

THE PERSIAN VERSION

Truth-loving Persians do not dwell upon

The trivial skirmish fought near Marathon.

As for the Greek theatrical tradition

Which represents that summer's expedition

Not as a mere reconnaissance in force

By three brigades of foot and one of horse

(Their left flank covered by some obsolete

Light craft detached from the main Persian fleet)

But as a grandiose, ill-starred attempt

To conquer Greece—they treat it with contempt;

And only incidentally refute

Major Greek claims, by stressing what repute

The Persian monarch and the Persian nation

Won by this salutary demonstration:

Despite a strong defence and adverse weather

All arms combined magnificently together.

这里提到的马拉松之役是西方世界连小学生都知道的，西方史家说那次希腊联军对抗波斯帝国大军入侵取得了决定性大胜利。但是波斯人又是怎么说的？诗人提供了一个答案，所以题名《波斯人的说法》，意思似乎是：各有各的说法，都是一面之词。至少，这可以使受"欧洲中心"论熏陶了多少世纪的西欧人头脑清醒一点。

下面一首，也值得一读：

镜中的脸

受惊似的灰色眼睛，精神散漫，

从大而不匀的眼眶向外观看，

一条眉毛耷拉着，

下面皮肤里还藏着一块弹片，

旧世界打过仗的愚蠢纪念。

弯鼻子,打球时骨折造成;

脸,布满沟条;头发,粗糙,乱蓬蓬;

额角,多皱纹,但是宽阔;

下巴,有垂肉;耳朵,大;颚,好斗象征;

牙,不多;唇,丰满红润;嘴,像苦行僧。

我停住,剃刀在手,投出嘲笑,

对镜中的人,他的胡子需我照料;

再一次问他为什么

还要装扮停当,以一个少年的自傲,

去同丝绸宫里的皇后相好。

THE FACE IN THE MIRROR

Grey haunted eyes, absent-mindedly glaring

From wide, uneven orbits; one brow drooping

Somewhat over the eye

Because of a missile fragment still inhering,

Skin deep, as a foolish record of old-world fighting.

218

Crookedly broken nose—low tackling caused it;

Cheeks, furrowed; coarse grey hair, flying frenetic;

Forehead, wrinkled and high;

Jowls, prominent; ears, large; jaw, pugilistic;

Teeth, few; lips full and ruddy; mouth, ascetic.

I pause with razor poised, scowling derision

At the mirrored man whose beard needs my atten-
   tion,

And once more ask him why

He still stands ready, with a boy's presumption,

To court the queen in her high silk pavilion.

此诗格律完整，脚韵排列为 aabaa, ccbcc, ddbdd, 亦即重复中有连锁。内容上的特点是：用自嘲的口气描写自己的容貌，写得细致，也真实，没有美化，夹杂着评论（愚蠢纪念，好斗，像苦行僧），点睛之笔在于最后，而这是有浪漫情思的一笔，打扮停当了去会仙后似的爱人。这一来，前面最平凡的细节也带上了奇幻的色彩。

麦克尼斯(一九〇七——一九六四)

　　麦克尼斯生于北爱尔兰,在牛津大学茂登学院学过古希腊罗马文学,在伯明翰大学教过书,最后在英国广播公司工作了二十多年,在广播文学和诗歌翻译(如《阿伽门农》、《浮士德》)上都有建树。

　　作为诗人,他属于奥登一代,成名于三十年代。有评论家认为他的重要性仅次于奥登。所作《秋天日记》记录了当时社会动态,犹如全景照相。而韵文整齐流畅,又有十八世纪新古典主义遗风,但有机智而缺乏深度,是其缺点。短诗也有写得好的,《雪》、《出生前的祷告》、《仙女们》都是。

　　《仙女们》原是芭蕾舞剧名,它在现代高雅人士之间颇为有名,因为是由斯特拉文斯基根据肖邦的曲子谱成交响乐的,

是齐雅格莱夫领导的"俄国芭蕾"舞团在本世纪初风靡西欧时
上演的节目之一。

　　诗也是从一对青年男女去看这个舞剧开始，全文如下：

仙 女 们

一天之内的事：他请女朋友去看芭蕾；
由于近视，他没看清什么——
　　　灰色林子里有白裙片片，
　　　音乐如波涛起伏，
　　　波涛上扬着白帆。

花上有花，风信草在风里摇曳，
左边一片花对照着右边一片花，
　　　涂粉的白脸之上
　　　有赤裸的手臂在舞动
　　　如池中的海藻。

现在我们在浮游，他感到——没有桨，没有时间——
现在我们不再分离，从今以后

　　　你将穿白的缎服，

　　　系一根红绸带，

　　　在旋舞的树下。

可是音乐停了，舞蹈演员谢了幕，

河水流到了闸口——一阵收起节目单的声音——

　　　我们再不能继续浮游，

　　　除非下决心开进

　　　闸门，向下降落。

这样他们结了婚——为了更多在一起——

却发现再也不能真在一起，

　　　隔着早晨的茶，

　　　隔着晚上的饭，

　　　隔着孩子和铺子的账单。

有时半夜醒来，她听他的均匀的呼吸

而感到安心，但又不知道

　　　这一切是否值得，

那条河流向了何处？

那些白花又飞到了何方？

LES SYLPHIDES

Life in a day：he took his girl to the ballet；

Being shortsighted himself could hardly see it—

    The white skirts in the grey

    Glade and the swell of the music

    Lifting the white sails.

Calyx upon calyx，canterbury bells in the breeze

The flowers on the left mirror to the flowers on the

  right

    And the naked arms above

    The powdered faces moving

    Like seaweed in a pool.

Now，he thought，we are floating-ageless，oarless—

Now there is no separation, from now on

    You will be wearing white

    Satin and a red sash

    Under the waltzing trees.

But the music stopped, the dancers took their curtain,

The river had come to a lock—a shuffle of pro-

    grammes—

    And we cannot continue down—

    Stream unless we are ready

    To enter the lock and drop.

So they were married—to be the more together—

And found they were never again so much together,

    Divided by the morning tea,

    By the evening paper,

    By children and tradesmen's bills.

Waking at times in the night she found assurance

In his regular breathing but wondered whether

It was really worth it and where

The river had flowed away

And where were the white flowers.

即使通过译文,也多少可以看出:诗的音乐和节奏是模仿现代芭蕾舞的:每段起以两长行,如在大步滑行;继之三短行,如回收,如踏步;一张一收,形成一个来回;六段有六个来回,形成一种起伏的运动。写法上有现代诗的突兀,不交代前前后后,但是所用的形象完全能够传达情意和气氛,例如第三段的浮游,桨,白的缎服,红的绸带,旋舞的树,烘托出女主人的风貌。

但是从第四段起,情景变了,芭蕾舞的浪漫仙境消失,代之以现代英国都市里普通人的日常生活。结了婚,两人反而生疏了:

隔着早晨的茶,

隔着晚上的饭,

隔着孩子和铺子的账单。

Divided by the morning tea,

By the evening paper,

By children and tradesmen's bills.

　　这里形象和句子结构的运用显示出一种现代手法：让实物和节奏说话，无须加一句说明和评论，然而嘲讽自在。

　　《仙女们》未必是什么了不得的杰作，但是借它来说明现代英国诗的某些特点，似乎还不是一个很坏的例子。

绍莱·麦克林 (一九——一九九六)

　　我很难忘记同绍莱·麦克林在斯凯岛上的一夜长谈。虽是六月天，石屋的炉子里还烧着泥炭，它没有煤气而发幽香。大玻璃窗外夜晚的天色仍是十分明亮；在欧洲西北角的海岛上，夏天黑得很晚，十点钟还如白昼。我坐在软椅上，手里拿一杯金黄色透红的威士忌酒（也是苏格兰的名产），不时地喝两口，同白发而健壮的老诗人作着松散的对谈。他是当今世界上用盖尔语写作的最重要的诗人。

　　当然，免不了要谈到诗。但我又在那种随便而亲切的气氛里突然感到：何必煞风景呢，人生比诗更重要，而此刻人生是如此美好！

　　这事已过去五年，但至今我仍在怀念着绍莱和他的家人——他的老伴莲内，女儿玛丽，女婿大卫，都是爽朗开脱，一见如故。

也重读了绍莱的若干作品。有一首小诗，给我印象特别深刻，那就是：

形　象

当我懂得了这可怕的事——

她的身体已经腐烂：

干枯，变质，残缺，

我画了一个我爱人的形象，

不是那种叫人舒服的形象，

会有诗人放在高楼架上的，

而是会在沙漠里变大的形象，

在那里血即是水。

THE IMAGE

When I understood the terrible thing—

that her body had gone bad,

dry, spoiled, mutilated—

I made an image of my love;

not the comfortable image

that a poet would put on a shelf in a tower,

but one that would grow big in the Desert,

where blood would be water.

　　时间对于任何诗人都是一个充满诱惑的观念——或者可怕的"存在"。美丽的人会由于时间的侵蚀而变老，这是一般道理，但是突然发现爱者的身体腐烂了，干枯，变质，残缺，这仍然是可怕的，而联系到沙漠里的死亡，则是由于诗人的个人经验——他在第二次世界大战中在北非的沙漠里抗击过德军，而且受了重伤。诗题《形象》，明显地表示存在着两种形象：一种，是高楼上诗人们的美丽想象；另一种，则是女人身世和沙漠战场上的真实，而真实是枯燥而又残酷的。高楼上的形象精致而虚幻，沙漠里的形象才高大而实在，诗人的选择痛苦而坚决。这坚决见于诗行的断句，也见于诗的节奏，一行一断，重点落在最后的一句名言："血即是水"。

　　这一切，透过几重翻译——原诗是盖尔语，译成英语，又转译成汉语——仍然可见可闻，说明了原诗的生命力。

　　诗人也能温柔，对于爱人（其实《形象》里就有这样的温柔），对于斯凯岛上的石山和变幻的风云，对于别的诗人，例如叶芝。请看下诗：

在叶芝墓前

　　墓上的大石板

　　盖住了你和你的妻子乔治，

　　在大海与班·勃本山之间，

　　在司莱戈与利沙台尔之间。

　　清风从各方吹来

　　你的神妙的词句，

　　伴随一位美丽的人儿，

　　出现在每处田野的电视机上。

　　从班·勃本山那边来的甜蜜声音

　　出自一张年轻美丽的嘴[①]，

---

　　①　指爱尔兰女子莫特·冈。叶芝曾追求她多年，但她嫁了别人。她的兴趣在抗英武装斗争，此段中的"嘶叫"、"愤怒"、"慷慨的行动"都指她。

它因德米特而得到名声，

当它初次传播于绿色的土地，

后来变成了嘶叫，由于哀伤，

由于高贵的愤怒，

由于慷慨的行动，

这些在康诺利的耳中是甜蜜的，

对他和他的同道①。

你得到了机会，威廉，

运用你的语言的机会，

因为勇敢和美丽

在你的身旁树起了旗杆。

你用某种方式承认了它们，

不过口上也挂了一个借口，

这借口却不曾毁了你的诗，

反正每个人都有借口。

---

① 康诺利，爱尔兰工人领袖，指挥复活节起义，为英军枪杀。

AT YEATS'S GRAVE

The big broad flagstone of the grave
is on yourself and George your wife
between the sea and Ben Bulben.
between Sligo and Lissadell;
and your marvellous words are
coming in the breeze from every side
with the picture of the young beautiful one
in the television of each field.

The sweet voice on the side of Ben Bulben
from the one shapely young mouth
that took his fame from Dermid
since it was heard on a Green,
become a screech with grief
and with the noble anger
and with the generous deeds
that were sweet in the ears of Connolly

and in the ears of his kind.

You got the chance, William,

the chance for your words,

since courage and beauty

had their flagpoles through your side.

You acknowledged them in one way,

but there is an excuse on your lips,

the excuse that did not spoil your poetry,

for every man has his excuse.

叶芝的为人并不特别讨人喜欢：高傲，迷信，视人民如群氓；但他的诗行的力量却又很少人能够抗拒，明亮而深刻，现代而古老，语言的运用在二十世纪英语国家是诗坛第一人。麦克林也提到了他的"神妙的词句"，然而他表明，这神妙也是他的周围人和事所给予的，这当中有美人，有英雄（"康诺利和他的同道"），而叶芝所经历过的最大的事则是爱尔兰人民的独立运动。所以麦克林说："勇敢和美丽/在你的身旁树起了旗杆。"但是叶芝对于武装斗争有保留，因此只是有限度地参加了独立运动，所谓"挂了一个借口"即指此。但是麦克林立刻就指出：谁都会有借口的，叶芝的借口并没有毁了他的诗。

仅仅说麦克林认为不必对叶芝求全责备是不够的，因为这首诗主要是赞颂，一个凯尔特族诗人对另一个凯尔特族诗人的赞颂，因其有分寸而更为可信，因此有人认为：在这里麦克林写下了叶芝的最好的墓志铭。

显默斯·希尼（一九三九——　　　）

谈到当今用英文写作的诗人，最引人注意的可能是希尼。

希尼生在北爱尔兰，上了贝尔法斯特的大学，在一个喜欢写诗的教师的指导下，写起诗来，以后就以教书和写诗为生，现在成为英语诗坛上一大家。

他的诗是乡土文学的代表，写的是农民生活，没有多少田园牧歌气息，而是写他们男的挖土，女的搅乳，艰苦得很，笔调也相应地沉重，但是刻划得深，而不走俏皮、高雅的文人诗路子。

北爱尔兰是当今世界上的"热点"之一，经常有爆炸、冷枪，不同派别的当地人彼此巷战，又分别同英国军警对火。希尼的诗里也是经常有暗杀的威胁，枪手的黑影，黑夜篱笆外有不断注视着的几双眼睛，粮仓里也充满恐怖气氛：

　　我脸朝下躺着,避开上面的恐惧,

　　两只有环的大麻袋像大蝙蝠那样袭了进来。

——《粮仓》

对于爱尔兰人家, 这种恐怖是从儿童时代就开始的, 例如在一首题名《警察来访》的诗里, 诗人通过一个孩子的眼睛, 看经常来他家的一个英国警察如何又来查问了:

　　他的摩托车立在窗下,

　　一圈橡皮像帽斗

　　围住了前面的挡泥板,

　　两只粗大的手把

　　在阳光里发着热气,摩托的

　　拉杆闪闪有光,但已关住了,

　　脚蹬子的链条空悬着,

　　刚卸下法律的皮靴。

　　他的警帽倒放在地板上,

靠着他坐的椅子，
帽子压过的一道沟
出现在他那微有汗水的头发上。

他解开皮带，卸下
那本沉重的账簿，我父亲
在算我家的田产收入，
用亩、码、呎做单位。

算学和恐惧。
我坐着注视他那发亮的手枪皮套，
盖子紧扣着，有绳子
连结着枪托。

"有什么别的作物？
有没有甜菜、豌豆之类？"
"没有。"可不是明明有一垅
萝卜，在那边没种上

土豆的地里？我料到会有

小作弊，默默坐着想

军营里的黑牢的样子。

他站了起来，整了整

他皮带上的警棍钩子，

盖上了那本大账簿，

用双手戴好了警帽，

一边说再见，一边瞧着我。

窗外闪过一个影子。

他把后衣架的铁条

压上账簿。他的皮靴踢了一下，

摩托车就嘟克、嘟克地响起来。

A CONSTABLE CALLS

His bicycle stood at the window-sill,

The rubber cowl of a mud-splasher

Skirting the front mudguard,

Its fat black handlegrips

Heating iu sunlight, the 'spud'

Of the dynamo gleaming and cocked back,

The pedal treads hanging relieved

Of the boot of the law.

His cap was upside down

On the floor, next his chair.

The line of its pressure ran like a bevel

In his slightly sweating hair.

He had unstrapped

The heavy ledger, and my father

Was making tillage returns

In acres, roods, and perches.

Arithmetic and fear.

I sat staring at the polished holster

With its buttoned flap, the braid cord

Looped into the revolver butt.

"Any other root crops?

Mangolds? Marrowstems? Anything like that?"

"No." But was there not a line

Of turnips where the seed ran out

In the potato field? I assumed

Small guilts and sat

Imagining the black hole in the barracks.

He stood up, shifted the baton-case

Further round on his belt,

Closed the domesday book,

Fitted his cap back with two hands,

And looked at me as he said goodbye.

A shadow bobbed in the window.

He was snapping the carrier spring

Over the ledger. His boot pushed off

And the bicycle ticked, ticked, ticked.

完全是素描，几乎都是具体的东西和动作，但是情景和空气中充满了对立，也不乏点睛之笔，如"法律的皮靴"、"算学和恐惧"、"我坐着注视他那发亮的手枪皮套"、"军营里的黑牢"。没有亲善，倒是有欺骗——父亲故意漏报一笔萝卜收入。孩子注视着这警察的摩托车和手枪，而警察在临走时也不忘多看几眼这未来的抗英枪手。诗的节奏也是硬邦邦的，没有任何轻柔、甜美的声音。

这是写压迫、敌对、恐怖的诗，然而又是用了卓越的诗才写的，一切都精心安排，就像敌对双方精心安排每一场战斗一样。

从这里我们也可以看出：英文诗到了今天，离开现代主义的意境和技巧已经多远。希尼所做的，是艾略特等人不肯做也不会做的。当然，这主要是因为他们属于两个时代，两个世界，但要紧的还有一点：诗艺也前进了。

对于这样的新诗艺，最好的说明人还是希尼自己。近年来希尼常在美国大学讲课，也曾出现在某些学术会议上。在一九七九年美国现代语文学会的年会上，他针对"尚未说出的对诗的假定"这一题目，作了一次发言。诗人谈诗，不用许多学院派醉心的名词，却能直接进入诗歌问题的核心。他谈的是一个并不时髦但很重要的问题，即：诗的社会作用。

为此他对比了两首当代美国诗，一首是詹姆士·赖特的《写给梨花》，另一首是罗伯特·洛厄尔的《鱼网》。两人都是逝世不久的名诗人，两诗也都不凡。赖特之作也颇有社会意义，因为他羡慕梨树，而憎厌美国的现实，写到明尼阿波里斯街上有一个可怜的老人祈求别人的爱和同情，但结果则是：

> 他会有风险，
>
> 会有嘲弄他的警察，
>
> 或者一个能说会道的干练青年
>
> 一拳就把他的假牙砸坏，
>
> 或者逗引他，
>
> 把他带到一个黑暗的角落
>
> 猛踢他那无力的下身，
>
> 就为了取乐。

Even at the risk

Of some mocking policeman

Or some cute young wiseacre

Smashing his dentures,

Perhaps leading him on

To a dark place and there

Kicking him in his dead groin

Just for the fun of it.

而洛厄尔之作表面上只是谈他在诗艺上的自我完善：

鱼　　网

任何明净的东西使我们惊讶得目眩，

你的静默的远航和明亮的捕捞。

海豚放开了，去捉一闪而过的鱼……

说得太少，后来又太多。

诗人们青春死去，但韵律护住了他们的躯体；

原型的嗓子唱得走了调；

老演员念不出朋友们的作品，

只大声念着他自己，

天才低哼着，直到礼堂死寂。

这一行必须终结。

然而我的心高扬，我知道我欢快地过了一生，

把一张上了焦油的鱼网织了又拆。

等鱼吃完了，网就会挂在墙上，

像块字迹模糊的铜牌，钉在无未来的未来之上。

FISHNET

Any clear thing that blinds us with surprise.

Your wandering silences and bright trouvailles,

dolphin let loose to catch the flashing fish

saying too little, then too much.

Poets die adolescents, their beat embalms them,

the archetypal voices sing offkey;

the old actor cannot read his friends,

and nevertheless he reads himself aloud,

genius hums the auditorium dead.

The line must terminate.

Yet my heart rises, I know I've gladdened a lifetime

knotting, undoing a fishnet of tarred rope;

the net will hang on the wall when the fish are eaten,

nailed like illegible bronze on the futureless future.

诗很不好懂，但有可追踪的线索：鱼网是诗艺，它企图捕捉海洋的秘密和远方的音乐，而诗人有时太安于静默，有时则又滔滔不绝。许多天才诗人青年死去，不死的则垂垂老矣，如徒有技巧而无新意的老演员，因此"这一行"（可以是诗行，也可以是这一支派的诗人）必须终结了。然而洛厄尔回顾自己过去，在不断修改自己作品、使之达到完美的努力中过了一生，还是感到欣慰，因为他没有放弃自己的崇高职责，而且多少留下了一点艺术珍品，尽管人们未必能够看出诗人原意，毕竟给那不可捉摸的未来以一点坚实可靠的东西。这样一读，我们看出这首诗有中心意义——诗人怎样看待自己的工作；有中心的形象——鱼网能放能收，与水和鱼打着奇妙的交道，有框架之形而又能捕捉最无形的想象世界；有时间的推移，青年夭折的诗人同暮年颓唐的老演员作了对比；最后，还有诗人的自白，那声音里有对诗艺的自信，对不倦地追寻艺术完美的不悔，对进入难测的未来的无畏。

这是一首形式完整、意义深刻而又精心制作的当代诗。但是很可能，人们会问它的社会意义何在？

希尼把它同赖特的诗作了比较，发表了这样的评论：当然，赖特提到了社会的黑暗面，"嘲弄人的警察"和"能说会道的干练青年"就是例证；他甚至表达了要同兄弟们团结的意图。然而他更羡慕开花的梨树，认为它才代表纯洁和"我无法触及的完美"，总的态度是消极的，隐退的。这在艺术上也有痕迹可寻，即他不是力图从解决技巧上的困难中见功夫，而是放松自己，走了自由体的容易一途。因此，"他的风格是传达一种易受伤害的感觉的工具，而不是用来去伤害对手和下达命令的工具。而他放弃传统形式，放弃韵律和句法的严谨而走向节奏和形象上的优美，则是反映了他不相信诗还有承受历史冲击的能力。……他被当代工业社会的现实征服了，于是满足于美的安慰，满足于艺术工作的纯洁性，以此为唯一目的，而不是把它看作一种力量，能够同外面的现实领域联结起来，对它传达自己的声音。"这样，赖特等于默认了社会上的流行论调，即诗已经不对社会发挥积极作用了。

至于洛厄尔，则希尼认为他恰恰相反。他认识自己在历史中的地位，并要求自己的诗能承受住历史的猛烈冲击，对于语言也力求硬朗、准确，因此也就"无言地谴责了那种认为诗歌活动太纯洁，太高雅，经不起当前这一历史时刻的杂乱、粗糙的袭击的论调"。对于《鱼网》本身，希尼进一步作了这样的评论：

> 这首诗初读可能使人觉得作者对自己有点溺爱，因为它谈的是诗人在不断修改自己作品中度过了一生。但是诗行的钢铁框架使诗篇没有坠入自我陶醉；它不是一篇言词，而是一种精心制成的形式，也是一种故意发出的声音，一开始像音叉那样甜美，而结束时则只听见一下下猛烈的撞击，像是有人在毫不客气地猛叩门上的铁环。此诗有一种内在的生命，它是在千方百计地向一个形式行进——理解了这一点就会使我们不只注意它表面上所作的"无能为力"的宣告，而且还注意到洛厄尔对于诗艺所给他的职责的内在的信任。我们看出了这点，也就受到作者所作承诺的鼓励，并在这种承诺里听到了权威的声音。

这一段话，出自希尼之口，是特别值得注意的。它不仅赞颂了洛厄尔，而且也解释了希尼本人的诗歌意图。在二十世纪八十年代，他在西方世界重新强调诗的"伤害和命令"的能力，诗的战斗作用，重申诗是社会生活里的积极力量，但他又同时指出，必须还有对诗艺的不倦的追求；追求完美的努力本身也就是对恶势力的斥责。由于希尼本人的作品体现了积极性和完美性的新型结合，他的这番话也像洛厄尔的作品一样，包含了"承诺"和"权威的声音"。

生活·讀書·新知 三联书店陆续刊行

《国文百八课》	叶绍钧、夏丏尊
《文心》	夏丏尊、叶圣陶
《经典常谈》	朱自清
《论雅俗共赏》	朱自清
《语文常谈》	吕叔湘
《语文杂记》	吕叔湘
《语文闲谈》[选订本]	周有光
《在语词的密林里》	尘 元
《文章修养》	唐 弢
《汉字王国》	(瑞典) 林西莉
《国学常识》	曹伯韩
《万历十五年》	(美) 黄仁宇
《中国大历史》	(美) 黄仁宇
《中国近百年史话》	曹聚仁
《写给大家的中国美术史》	蒋 勋
《中国建筑文化讲座》	汉宝德
《毛泽东的读书生活》	龚育之、逄先知、石仲泉
《白石老人自述》	齐白石
《绿色遥思》	张 炜
《京华忆往》	王世襄
《岁朝清供》	汪曾祺
《故事和书》	孙 犁
《世界美术名作二十讲》	傅 雷
《傅雷书信选》	傅 雷

《文言读本》	朱自清、叶圣陶、吕叔湘
《语文杂话》	朱自清
《标准与尺度》	朱自清
《阅读与讲解》	叶圣陶
《诗论》	朱光潜
《谈美》	朱光潜
《屐痕处处》	郁达夫
《英诗的境界》	王佐良
《三国史话》	吕思勉
《庄子浅说》	陈鼓应
《读书与治学》	胡　适
《怎样读书》	蔡元培等
《留学时代》	周作人等
《唐诗杂论 诗与批评》	闻一多
《干校六记》	杨　绛
《我们仨》	杨　绛
《北京城杂忆》	萧　乾
《中国哲学简史》	冯友兰
《古代的希腊和罗马》	吴于廑
《孔子传》	钱　穆
《国史新论》	钱　穆
《论书绝句（注释本）》	启　功 著　赵仁珪 注释
《给青年建筑师的信》	汉宝德
《给青年艺术家的信》	蒋　勋
《师门五年记 胡适琐记》	罗尔纲

图书在版编目（CIP）数据

英诗的境界 / 王佐良著． -- 北京：生活·读书·
新知三联书店，2012.9
（中学图书馆文库）
ISBN 978-7-108-03991-0

Ⅰ．①英… Ⅱ．①王… Ⅲ．①散文集－中国－当代
Ⅳ．①I267

中国版本图书馆CIP数据核字(2012)第017915号

责任编辑　杨　乐
装帧设计　崔建华
责任印制　徐　方
出版发行　生活·讀書·新知三联书店
　　　　　（北京市东城区美术馆东街22号）
邮　　编　100010
经　　销　新华书店
印　　刷　北京鹏润伟业印刷有限公司
版　　次　2012年9月北京第1版
　　　　　2012年9月北京第1次印刷
开　　本　787毫米×1092毫米　1/32　印张8.25
字　　数　120千字
印　　数　00,001-10,000册
定　　价　28.00元